La Metamorfosis

Franz Kafka

•FONTANA•

La Metamorfosis

FRANZ KAFKA

Traducción:
ALBERTO LAURENT

EDICIONES
BRONTES S.L.

@EdiBrontes #ClasicosFontana

La metamorfosis

© Ediciones Brontes S.L., 2009
Nueva edición: 2019

Prólogo / Presentación: Francesc Ll. Cardona
Traducción: Alberto Laurent
Diseño gráfico: Daniel Jurado

Edita: Ediciones Brontes S.L.
         C/ Roca Plana 1
         08110 - Montcada i Reixac
         Barcelona (España)

         www.edicionesbrontes.com
         info@edicionesbrontes.com

Impreso en España / Printed in Spain

I.S.B.N: 978-84-96975-53-8
Depósito Legal: B-39406-2009

Estudio preliminar
Franz Kafka, el hombre y su mundo

Franz Kafka nació el 3 de julio de 1883 en Praga. Su padre, Hermann Kafka (1852-1931), se había casado el año anterior con Julie Löwy (1856-1934), hija de un judío que había conseguido acumular una considerable fortuna gracias a una fábrica de cerveza.

Hermann Kafka, por su parte, también era hijo de un judío, pero había tenido menos suerte que su consuegro. Originario del pequeño pueblo de Wossek (sur de Bohemia), se había trasladado a vivir al miserable gueto judío de Josefstadt, de Praga, poco después de alcanzar la adolescencia. No tenía dinero para más. Conoció a Julie, instruida, bonita y elegante y, que además, por su posición, podía vivir fuera del gueto.

Después de casarse, en 1882, Hermann Kafka abrió una pequeña tienda de artículos de fantasía gracias a la ayuda financiera de su suegro. Empezaba a ver cumplido su sueño de amasar fortuna, pues tuvo mucha más suerte que su padre, el carnicero Jakob, y lo consiguió.

El joven matrimonio se instaló en una calle lindante al gueto, en la calle Maisel. La vivienda era modesta, pero a Hermann debió parecerle lujosísima. En aquella casa nació Franz Kafka. Poco después la familia se trasladó a una casa más amplia no lejos de allí, en Wenzelplatz. Nació un nuevo hijo, Georg, pero moriría quince meses después.

Para prosperar, Hermann se inclinó a los checos de origen alemán que ocupaban la cima de la pirámide local, además se desentendió en gran manera del judaísmo. Todo ello repercutiría en el pequeño Franz. Era judío, pero sin que la religión se practicara más de lo necesario. La lengua materna era la alemana, mientras que la paterna era la checa. Así, si nuestro novelista no fue decididamente judío, tampoco lo fue checo ni alemán puro.

A medida que el negocio prosperaba, los padres de Franz fueron cambiando varias veces de domicilio, alejándose cada vez más del gueto. Sin embargo, el pequeño Kafka se encontraba bastante desplazado con los cambios continuos de residencia, pues apenas tenía tiempo de realizar firmes amistades.

Franz sufrió la pérdida de otro hermanito a

los pocos meses de nacer éste, sin que entendiera mucho estas muertes. Los padres de Kafka abrieron finalmente una mercería y poco después encontraron una vivienda digna en la calle del Círculo. Entonces nacieron las hermanas de Franz, en 1889 Elli, en 1890 Valli y en 1892 Ottla.

La primera maestra de Franz fue una gobernanta suiza, la señorita Bailly, venida de Neuchâtel, a semejanza de lo que hacían las familias acomodadas de Praga. En otoño de 1889 comenzó a acudir a la Escuela primaria situada junto al Mercado de la carne, a la que concurrían los hijos de la población alemana de origen judío.

Tímido y discreto, trataba de pasar siempre desapercibido. No se comprometió ni con sus compañeros alemanes, ni con los alumnos de la escuela checa de enfrente, que atacaban a los alemanes a la salida de las clases. No tomó partido por nadie, ni por los judíos. Regresaba a casa desconcertado, y así comenzó a encerrarse en sí mismo, pues el sitio más seguro que encontró fue su propio mundo interior.

El joven Kafka inició sus estudios de enseñanza media en el Instituto de bachillerato de humanidades de lengua alemana de Praga-Altstadt. Esta tarea le absorbió de 1893 a 1901. Alumno bastante aplicado, destacó en especial en geografía y mostró muy poca afición por las matemáticas. Aunque se aplicó en el estudio del alemán y fue ésta su lengua principal, también habló checo, al igual que sus padres. Por aquel entonces el problema lingüístico se radicalizó en el país, como foco básico del problema nacional.

Tras la implantación oficial del bilingüismo por el primer ministro Badeni, en Bohemia y Moravia, estalla una crisis. Los nacionalistas alemanes paralizaron a partir de 1897 el funcionamiento del Consejo del Imperio austro-húngaro y organizaron un movimiento de unión con Alemania que quedó reflejado en el Programa Nacionalista de Pentecostés (1899). Ante el agravamiento de la situación, las autoridades de Viena derogaron el decreto del bilingüismo.

Una vez concluidos sus estudios secundarios y tras unos tímidos estudios de química, inició a partir de 1901 los de Derecho en la Universidad Alemana de Praga, después estudiará también Germanística e Historia del Arte. Allí trabó amistad con Oskar Pollak, joven inteligente que llegaría a ser historiador del arte, muriendo en la guerra de 1914-1918. La amistad entre los dos se refleja en las cartas que Franz escribió a Oskar entre 1902 y 1904 que en un estilo recargado, casi afectado, presentan a un adolescente inquieto, pero abierto a la amistad y realmente apasionado, vivo y vibrante.

En 1902 pasó las vacaciones en Liboch y Triesch, en casa de su tío, el doctor Siegfried Lowy, médico rural. Conoció a Max Brod en una conferencia que éste ofreció sobre Schopenhauer. Brod sería siempre un ardiente propagandista de la obra kafkiana, le instaría continuamente a publicar sus escritos inéditos y se encargaría a su muerte de completar su edición. Sería también su biógrafo oficial. Por aquel entonces sabemos que trabajaba en la novela *El niño y la ciudad,* obra desgraciadamente perdida.

Entre 1904-1905 pasó las vacaciones en Zuckmantel, realizó tertulias regulares con Marx Brod, Oskar Baum, Felix Weltsch... preparó el relato *Descripción de una lucha* y tuvo unos primeros amoríos con una mujer desconocida, si bien según propia confesión "sería una de las dos únicas mujeres con las que tuvo una verdadera intimidad".

Se doctoró en derecho, en junio de 1906, en la Universidad de Praga, junto con Alfred Weber. Trabajó durante algunos meses en el bufete jurídico de su tío Richard Lowy y después realizó un año de internado en Tribunales.

Tras dar los últimos toques a *Preparativos de una boda* en el campo, en octubre de 1907 ingresó en la compañía de seguros Assicurazioni Generali. Sus muchas horas de trabajo le interrumpen su vocación de escritor, cosa que le produce una gran angustia.

El sufragio universal confirmó la mayoría eslava dentro del imperio austro-húngaro, la ingobernabilidad fue manifiesta al enfrentarse 233 votos germanos a los 265 eslavos fraccionados en muchos grupos.

Hacia 1908, encontró en Praga un trabajo de media jornada en el organismo seminacionalizado de la Compañía de Seguros de Accidentes Laborales del Reino de Bohemia, donde trabajará hasta dos años antes de su muerte. Infatigable en el trabajo y dándose cuenta sus jefes de su valía, le trataron con benevolencia. Pese a ello dispuso de escasas horas por la tarde para su gran pasión y agotó su débil salud escribiendo de noche.

Los *Diarios* que llevaba puntualmente revelan su constante obsesión de un empleo racional del tiempo que le permitiese escribir en condiciones más favorables, sin perjudicar demasiado sus actividades profesionales. No obstante, la doble vida le resultará agotadora y le angustiará su incapacidad para resolver el dilema de "ganarse la vida o vivirla".

Y así empezó a padecer de surmenage, insomnio, agotamiento nervioso, y las torturas morales, consecuencia de un estado de cosas para las que Kafka sólo hallará finalmente una salida en la enfermedad, aunque muy poco tuviera que ver con su abatimiento moral (si bien la tuberculosis era casi irreversible entonces, busca siempre los organismos más débiles). La salida era pues inevitable, lo que no quiere decir que nuestro escritor no se revelara en vano contra la pérdida de su tiempo y sus energías.

En 1908 publicó ocho textos en prosa en la revista *Hyperion*. Pasó sus vacaciones en Riva y Brescia junto con Max y Otto Brod. Redactó "Los aeroplanos de Brescia" (1909). Se relacionó entonces con círculos anarquistas, aunque nunca participó en ninguna lucha política. El país pasó a gobernarse por decretos imperiales.

Fue en 1910 cuando inició los cuadernos "en cuarto", que constituyen sus diarios. Los estuvo llevando durante trece años y si él les concedió una enorme importancia, para nosotros es capital en la reconstrucción de su biografía. Miembro del círculo de intelectuales, publicó en Bohemia cinco artículos en prosa. Inició entonces sus contactos con el teatro yiddish (lengua primitiva de los judíos refugiados en la Europa Central, como lo es el sefardí con respecto a los judíos de origen español expulsados por los Reyes Católicos en 1492) y se aproximó a los orígenes históricos del judaísmo.

Visitó por cuestiones de trabajo Reichenberg y Friedland. Por aquel entonces frecuentaba los cabarets, las salas de fiestas, los cafés literarios de Praga. Iba asiduamente a la piscina, nadaba, remaba y andaba mucho. Aunque todavía estaba sano, su salud ya le daba preocupaciones que intentaba superar con diversas prácticas higiénicas y ascéticas: se hizo vegetariano, no bebía, no fumaba, dormía en un cuarto frío en invierno, dejó de llevar abrigo, se bañaba en los ríos helados y pasaba parte de sus vacaciones en colonias naturistas.

Pasó el verano en Zúrich (1911), Lugano y Milán. Viajó de vacaciones con Max Brod. Después estuvo una semana solo en el sanatorio naturista Fellenberg, en Erlenbach, próximo a Zúrich. En octubre empezó a frecuentar con cierta regularidad el café-restaurante Savoy y se relacionó con los componentes de una compañía teatral judía yiddish y en especial con Jizchak Löwy, su director.

Entre 1911 y 1912 empezó a trabajar en *América*. En febrero dio una conferencia sobre la lengua yiddish. En marzo se vio obligado, contra su voluntad, a ocuparse de un establecimiento industrial propiedad de su cuñado (esposo de su hermana mayor) y en la que, tanto él como su padre, tenían intereses. Este aumento de trabajo acrecentó su desasosiego.

En el verano viajó a Weimar con Max Brod. Después volvió a pasar un período solo en la colonia-balneario naturalista Just's Jungborn. Por entonces preparó *Contemplación,* antología que publicaría en diciembre de 1912, pero antes, los editores Ernest Rowohlt y Kurt Wolff desean conocerle personalmente.

La noche del 13 de agosto de 1912 encontró por primera vez a Felice Bauer en casa de los padres de Max Brod. Vivía en Berlín, tenía veinticinco años y era directora de la empresa Lindstrom, fabricante del Parlograph, un rival del dictáfono. En septiembre escribió *La condena* y después *El fogonero,* que luego convertiría en el primer capítulo de *América.* Después acometerá su famosa *Metamorfosis.*

Durante 1913 continúa su labor en *América* o *El desaparecido* y tras una intensa correspondencia plagada de anhelos y frustraciones decidió visitar en Berlín a Felice Bauer por Pascuas. En aquella primavera salieron a la luz *La condena* y *El fogonero.* En setiembre viajó a Viena, Venecia y Riva, en donde mantuvo un episodio amoroso con una muchacha suiza. Se produce la disolución de la Dieta de Bohemia.

En noviembre de 1913 se produce el encuentro con Greta Bloch, amiga de Felice Bauer, y también se cartea con ella. Si hay que prestar crédito a documentos recientemente encontrados, tuvo un hijo de Kafka, cuya existencia nunca reveló. Se supone que ella sola educó a ese hijo, cuya identidad ignoró todo el mundo y que falleció a los siete años de edad. Greta, que se refugió en Italia durante la guerra, antes de salir hacia Israel, murió a manos de los nazis en mayo de 1944.

Las Pascuas de 1914 las pasa en Berlín, donde se compromete por primera vez con Felice Bauer, pero en julio rompe ese compromiso, cosa que realizará una y otra vez… Conoció a Ernest Weiss, poeta y dramaturgo, cuya obra admiró sinceramente, y con él viajó al mar Báltico, ya que su amistad con Max Brod se había enfriado un tanto. Escribió *En la colonia penitenciaria* y comenzó otra de sus obras más famosas: *El Proceso*, así como el último capítulo de *América*.

El 28 de junio de 1914 muere en Sarajevo el archiduque Francisco Fernando, heredero del trono austrohúngaro, y su esposa, víctimas de un atentado obra de un estudiante serbio-bosnio miembro de la organización secreta Unidad y Muerte. Austria lanza un ultimátum a Serbia, a la que responsabiliza de los hechos, exigiendo que se permita participar a la policía austríaca en la investigación del atentado. Serbia se opone rotundamente a tal intervención y decreta la movilización parcial de sus tropas. Los acontecimientos se precipitan y se inicia la Primera Guerra Mundial.

Kafka recibió en 1915 el premio Fontane por *El fogonero* y se encontró varias veces en Baldenbach con Felice, pero sus relaciones estables eran imposibles: ella exigía una vida "normal" en un apartamento confortable, alimentación suficiente, descanso a partir de las once... él todo lo cifraba en su trabajo de escritor y sus extravagancias de una vida bohemia... Kafka se mudó entonces de domicilio varias veces y viajó a Hungría con su hermana Elli. En noviembre de 1915 publicó *La metamorfosis*.

En el frente bélico se produjo la ofensiva austrogermana desde el Báltico, que provocó la conquista de Varsovia. Sin embargo, el avance se inmovilizó en la Galitzia Oriental y en otros sectores, a semejanza de lo que había sucedido en el frente Occidental. Entonces el zar Nicolás II asumió el mando supremo del ejército ruso.

Franz fue en 1916, con sus tantas veces prometida Felice, al famoso balneario de Marienbad. Durante aquel verano volvió a los pros y contras de su matrimonio. Escribió los cuentos recopilados en *Un médico rural*. En el mes de noviembre dio una conferencia en Munich, leyendo fragmentos de sus obras, así como varios poemas de Max Brod. Después marchó a vivir a la calle Alchemist, de Praga.

En julio de 1917 vuelve a comprometerse con Felice a través de la ceremonia de "segundos esponsales", pero casi inmediatamente se produjo una nueva ruptura. Poco antes ha terminado la redacción de "La construcción de la muralla china". En agosto de 1917 sufrió su primera hemotisis. Se negó a ingresar en un sanatorio una vez diagnosticada la enfermedad y obtuvo un permiso de tres meses para vivir en casa de su hermana Ottla, administradora de una explotación agrícola en Zürau.

Allí pudo leer a sus anchas a Kierkegaard, el gran autor danés "padre del concepto de la angustia", la Biblia, así como terminar sus estudios de hebreo y escribir sus *Aforismos,* cuadernos "en ocho" que llevó paralelamente con los *Diarios.* Esta vida rural fascinante para él la describiría en *El castillo,* que comenzaría unos años más tarde.

Nueva visita de Felice el 21 de septiembre; el 1 de octubre le enviará quizá la última carta. En diciembre se produciría el rompimiento definitivo después de un encuentro en Praga. Felice Bauer se casó un año más tarde. Había, al fin, hallado la felicidad según sus gustos y preferencias.

Mientras tanto se había convocado un nuevo parlamento austrohúngaro, así como había fracasado el intento de conciliación ante las aspiraciones de autonomía de los checos y los eslavos meridionales. El 7 de diciembre los EE. UU., que ya habían declarado la guerra a Alemania, la hicieron extensiva a Austria-Hungría. Se suceden la Revolución de febrero en San Petersburgo, el zar Nicolás II abdica. Después de la Revolución de octubre de Petrogado, Kerenski huye, cae el gobierno provisional. El consejero de Comisarios del Pueblo se constituye en órgano de gobierno.

Hasta junio de 1918 Kafka permaneció en Zürau. Viajó también a Praga y Turnau. Escribió un proyecto de sociedad ascética: "Una sociedad de trabajadores pobres". En Rusia se proclama la república democrática federal marxista-leninista. En noviembre abdica Guillermo II y da paso a la república alemana. El grupo espartaquista propugna la dictadura del proletario, pero la revolución proletaria será aplastada. Alemania firma el armisticio el 11 de noviembre. Tras los fracasos del frente, Austria acepta también el Armisticio. Después de la revolución de Viena se produce la disolución de la monarquía austrohúngara. Checoslovaquia se proclama independiente.

En 1919 Kafka publicará *En la colonia penitenciaria*. Estando en Schelense conoció a Julie Wohryzek, hija de un custodio de sinagoga, pero el idilio duró unos pocos meses.[1] En noviembre escribió *Carta al padre*. A partir de aquel fin de año se agravaría por momentos la enfermedad de nuestro

---

1. La causa final sería sus "relaciones" con Milena.

escritor y proliferó su estancia en varios sanatorios y residencias.

Después de una cura en Meran (1920) dio comienzo a la correspondencia con Milena Jesenská, traductora checoslovaca, espíritu apasionado y de gran talento. Esta correspondencia fue señalando etapas de un nuevo amor torturado, tanto por el propio Kafka como por los obstáculos externos, pues Milena se hallaba unida por unos vínculos muy singulares a un esposo que no hacía de ella mucho caso.[2] Publica *Un médico rural*.

Hacia el invierno el estado de salud de Kafka sufrió una recaída y tras resistirse mucho consintió en acudir a un sanatorio. El final del año lo pasó así en los montes Tatra, en el sanatorio Matliary, de Eslovaquia, donde trabó amistad con Robert Klopstock, joven estudiante de medicina, tísico como él, que abandonaría sus estudios para cuidar de Kafka.

Después de permanecer en el sanatorio de los montes Tatra, a mediados de 1921 Kafka volvió a Praga y el 15 de octubre escribió en sus *Diarios* que le había dado aproximadamente una semana atrás todos sus cuadernos a Milena.

---

2. Milena era una mujer cultivada y lúcida, de pasiones ardientes, feminista y emancipada que escandalizaba a la hipócrita sociedad checa de su tiempo; esa mujer atractiva y autorrealizada, como salida de una novela romántica en pleno siglo XX, parecía una digna descendiente de las hermanas Brönte.

A fines de 1921 o comienzos de 1922 inicia la redacción de *El Castillo*. Nuevamente viajó a Praga. En mayo se produjo el último encuentro con Milena, a continuación permaneció en Planá con su hermana Ottla... y otra vez en Praga. Durante el verano escribió *Investigaciones de un perro*.

Viajó primero a Praga y luego, en julio de 1923, a Müritz, con su hermana Elli. Unos meses más tarde le envió una carta a Milena, que era como su despedida, y le hablaba de haber encontrado, en la colonia de vacaciones de un hogar judío de Berlín, una ayuda prodigiosa: era Dora Diamant.

De unos veinte años de edad, Dora procedía de una familia judío-polaca. Al convertirse en compañera de Kafka, le dará a los últimos meses de su existencia la paz y felicidad que nunca tuvo. Escribe *Una mujercita* y *La madriguera*. Hacia fines de septiembre vive en Berlín con Dora. Envía al editor los relatos reunidos en *Un artista del hambre*.

En 1924 redacta Josefina la cantora. Su enfermedad se agrava y de Berlín debe trasladarse a Praga y después a diversos sanatorios y clínicas, hasta que el 3 de junio de 1924 morirá en el sanatorio de Kierling, cerca de Viena; le acompañaba Dora Diamant y Robert Klopstock. Semanas antes, cuando ya padecía grandes dolores laríngeos y apenas podía comer ni beber, le pidió al padre de Dora su consentimiento para legalizar su situación: éste le contestó con un rotundo y escueto no.

Fue enterrado en el cementerio judío de Praga-Straschnitz, en la misma tumba de sus padres (su padre fallecería en 1931 y su madre en 1934).

TRASCENDENCIA POSTERIOR
DE LA OBRA DE FRANZ KAFKA

Cuando murió, Franz Kafka era sólo conocido por un pequeño círculo de intelectuales. Su fama póstuma se debió exclusivamente a que su amigo Max Brod contravino sus órdenes: destruir los manuscritos inéditos y no volver a editar los ya publicados. Max se apresuró a hacer exactamente todo lo contrario: se lanzó a editar su obra y a propagarla el máximo posible hasta hacerla famosa.

Desde aquel martes 3 de junio de 1924 en que nuestro autor "se liberará" del mundo de los vivos, muchas han sido las interpretaciones posibles de sus obras: unos han querido ver en ellas el arquetipo del hombre en lucha contra un sistema, otros quisieron ver un fiel reflejo de su compleja enfermedad, tanto física como psicológica... o una consecuencia de las relaciones con su padre; todos ellos, al considerarlas "novelas en clave", buscan motivaciones religiosas, ontológicas, sociales o mitológicas.

Es innegable que en la obra de Kafka hay un condimento religioso, no cabe duda que su sentimiento de la existencia posee ciertas analogías con el pensamiento de Kierkegaard, pero su obra no puede reducirse a ser función de estas tesis o de otras. Una novela no es una idea abstracta oscurecida con metáforas, es un mito revelador, nos arroja una nueva visión del mundo, una nueva forma de sentir lo maravilloso y lo cotidiano.

Kafka no es ni un desesperado, ni un revolucionario, es un testimonio iluminador. Su obra es una lucha sin esperanzas. Su única salida es penetrar en la muerte, abandonando así su particularidad. La muerte como "retorno al padre en el Gran día de reconciliación". Él, que pudo a su vez ser "padre" por medio del matrimonio, no aceptó serlo, porque de alguna manera no podía ser "un nuevo origen de generaciones".

Toda su obra es una clara búsqueda de hallar un sentido a la vida, una vida en la que era "más extranjero que un extranjero". Un miembro del gueto judío de Praga, obligado a expresarse en alemán, enfermo —lo que lo marginaba de la vida—, judío aislado de su comunidad, pero que siente nostalgia por ella y sólo tiene el silencio por respuesta.

Kafka, desesperado, solitario y angustiado, aspira a la normalidad con todas sus fuerzas. Su obra y su vida inextricablemente ligadas son un canto desesperado de amor y temor, de rebelión ante nuestras concepciones alienantes de la sociedad, religión, política... Dentro del universo kafkiano surge un solo personaje intercesor entre el poder (¿Dios quizá?) y el mundo: la mujer, a la que se aferra con todas sus fuerzas, a pesar de que llegue a traicionarle. La mujer concebida como diosa-madre y amante en una pieza.

Así Kafka se nos presenta como una especie de Mesías negativo que revela el desorden íntimo y absurdo del mundo, ni optimista ni pesimista sino ambiguo, esclavizador y alienante, del que él intenta librarse por medio de la creación de sus obras.

El interés por Kafka se inicia durante el período hitleriano, sobre todo en Francia y en el mundo anglosajón. En Alemania, en cambio, el nazismo prohibió sus obras. Sus hermanas murieron en campos de concentración: Ottla en Auschwitz en 1942; Greta Bloch, que le diera el malogrado hijo al escritor, falleció también a manos de un soldado nazi en 1944; y Milena corrió idéntica suerte en otro campo. Sólo después de la guerra se extendió su fama por Alemania y Austria y comenzó allí su influencia literaria. Influencia que iría penetrando más tarde, hasta la década de los sesenta, en la vida política, literaria e intelectual de la Checoslovaquia comunista y de la vieja Praga, su capital, ciudad que le vio nacer y acogió sus restos y los de su familia.

Kafka manifestó durante su vida adulta simpatías por el socialismo y asistió a las reuniones de los anarquistas checos antes de la Primera Guerra Mundial. Su interés por el gueto y el mundo judío que le envolvía no se iniciaría hasta 1911-1912, a través del contacto con el grupo de teatro yiddish del cual ya hicimos mención. Su estudio del pensador danés Kierkegaard (1813-1855) mostró ya una preocupación creciente por diversos aspectos del judaísmo y en 1918 ya vimos también como inició con ahínco el estudio de la lengua hebrea y de la mística judía.

Sin embargo, el sueño de la reconstrucción de la nueva Sión (Jerusalén y su antiguo poderío bíblico) y su deseo de profundizar en el estudio de la cultura de sus antepasados, no le pudo liberar de su condición y de su trágico destino. Kafka estaba convencido de que la tuberculosis que puso fin prematuramente a su vida era una enfermedad psicosomática, una conspiración de la cabeza y el cuerpo para poner fin de una vez a los dilemas indisolubles y las luchas internas en que vivía.

Hace algo más de un cuarto de siglo, la invasión de Checoslovaquia por las fuerzas del pacto de Varsovia, además de la primavera de Praga, se llevó muchísimas otras cosas por delante. Una de ella fue anatematizar a Franz Kafka, que había muerto cuarenta y cuatro años antes. Posiblemente, sin saberlo, no hicieron otra cosa que contribuir por segunda vez a que se cumpliera la última voluntad del escritor que, como recordamos, deseaba que sus obras fueran quemadas.

Y lo hicieron, además de prohibirlo. Aunque lo peor del asunto es que ni tan sólo fueron originales, pues lo mismo hicieron los nazis unos treinta años antes. Así es que la nueva desaparición literaria de Kafka llegó el 20 de agosto de 1968, cuando los soldados de la Unión Soviética, Polonia, Hungría, Bulgaria y la República Democrática Alemana decidieron terminar con la primavera de Praga de Dubcek.

Pero después de más de veinte años de larga y agónica espera, se amnistió por fin a Franz Kafka, y las conferencias y seminarios sobre nuestro autor se multiplicaron, en especial, en su ciudad natal. Pero la pregunta continúa en el aire: ¿qué tenía aquel hombre de frágil salud para que se fijaran tanto en él los represores de la libertad?

Hoy, por suerte, sus textos, debido a que su fiel

amigo Max Brod no siguió su última voluntad, pueden ser leídos libremente en el país que vieran la primera luz y que ahora, estrecheces económicas y problemas políticos de secesiones aparte, pueden respirar una nueva y ojalá para siempre primavera de libertad.

La Metamorfosis

En la obra de Kafka tres temas ocupan un primer plano: el tema de la bestia, el tema de la búsqueda (*El proceso, El castillo*) y el tema de lo "inacabado" (*La colonia penitenciaria, La muralla china*).

Pero el tema de la bestia es sin duda el más aparente. *El informe para una academia* realizado por un mono convertido en hombre, *La metamorfosis* de un hombre convertido en una especie de insecto, *Las investigaciones de un perro, Josefina la cantora o el pueblo de los ratones, La madriguera* y numerosos fragmentos que plantean, a través de la vida de una bestia, los problemas del hombre.

"Cuando Gregorio Samsa despertó aquella mañana, luego de un sueño agitado, se encontró en su cama convertido en un insecto monstruoso." Así comienza *La Metamorfosis*. Este muchacho no tenía "otra cosa en la cabeza más que su trabajo". Basta que Gregorio, hasta entonces aferrado al mundo alienado y animal del tener, tome en un instante conciencia de su ser, para que se sienta extraño de sí mismo y su cuerpo se asemeje al de un insecto. A partir de ese momento se rompen a su alrededor los lazos humanos.

La simple toma de conciencia del mensaje fundamental de su existencia humana, provoca no sólo la ruptura de toda relación social, sino que lo transforma literalmente en un ser repugnante e insoportable. Pertenece ya a otro mundo.

F. Ll. Cardona

La Metamorfosis

I

Cuando Gregorio Samsa despertó aquella mañana, después de un sueño agitado, se encontró en su cama convertido en un insecto monstruoso. Estaba echado sobre el quitinoso caparazón de su espalda, y al levantar un poco la cabeza, vio la figura convexa de su vientre oscuro, surcado por curvadas durezas, cuya prominencia apenas si podía aguantar la colcha, visiblemente a punto de escurrirse hasta el suelo. Innumerables patas, lamentablemente escuálidas en comparación con el grosor ordinario de sus piernas, ofrecían a sus ojos el espectáculo de una agitación sin consistencia.

"¿Qué ha sucedido?", pensó.

No, no soñaba. Su habitación, aunque excesivamente estrecha, aparecía como de ordinario entre sus cuatro harto reducidas paredes. Presidiendo la mesa, sobre la cual estaba esparcido un muestrario de telas —Samsa era viajante de comercio—, colgaba una estampa poco antes recortada de una revista ilustrada y puesta en un lindo marco dorado. Representaba una señora tocada con un gorro de pieles, envuelta en una bufanda también de pieles, y que, muy erguida, esgrimía contra el espectador un amplio manguito, asimismo de piel, dentro de la cual se perdía todo su antebrazo.

Gregorio dirigió luego la vista hacia la ventana; el tiempo nublado (se escuchaba el repiquetear de las gotas de lluvia en el cinc del alféizar) le infundió una gran melancolía.

"Bueno —pensó—; ¿qué pasaría si yo siguiese durmiendo otro rato y me olvidase de todas las fantasías?" Pero esta pretensión era algo desde todo punto irrealizable, porque Gregorio tenía la costumbre de dormir sobre el lado derecho, y su actual estado no le permitía adoptar esa postura. Aunque se empeñaba en permanecer sobre el lado derecho, forzosamente volvía a caer de espaldas. Mil veces intentó en vano esta operación; cerró los ojos para no tener que ver aquel revuelo de las piernas, que no cesó hasta que un dolor leve y punzante al mismo tiempo, un dolor jamás sentido hasta aquel momento, comenzó a aquejarlo en el costado.

"¡Ay, Dios! —se dijo—. ¡Qué cansadora es la profesión que he elegido! Siempre de viaje. La preocupación de los negocios es mucho mayor cuando se trabaja fuera que cuando se hace en el mismo almacén, y no hablemos de esta plaga de los viajes: cuidarse de las combinaciones de los trenes; la comida pésima, irregular, relaciones que cambian de continuo, que no duran nunca, que no llegan nunca a ser verdaderamente cordiales, y en las que el corazón nunca puede tener parte. ¡Al diablo con todo!"

Sintió una ligera picazón en el vientre. Con lentitud se estiró sobre la espalda, en dirección a la cabecera, a fin de poder alzar mejor la cabeza. Vio que el sitio que le ardía estaba cubierto de unos puntitos blancos que no supo explicarse. Quiso aliviar el lugar del escozor con una pierna; pero hubo de retirarla inmediatamente, pues el roce le producía escalofríos.

Se deslizó hasta retomar su anterior posición. "Estos madrugones —se dijo— lo aturden a uno por completo. El hombre necesita dormir lo justo. Hay viajantes que se dan la vida de reyes. Cuando a media mañana llego a la fonda para anotar los pedidos, me los encuentro sentados, tomando el desayuno. Si yo, con el jefe que tengo, quisiese hacer lo mismo, me vería en el acto de patitas en la calle. Y ¿quién sabe si esto no sería para mí lo más conveniente? Si no fuese por mis padres, haría rato que me hubiesen despedido. Me hubiera presentado ante el jefe y, con toda mi alma, le habría manifestado mi modo de pensar. ¡Se cae del escritorio! ¡Eso de sentarse arriba del escritorio para, desde aquella altura, hablarles a los empleados, que, como él es sordo, han de acercársele mucho! Pero lo que es la esperanza, todavía no la he perdido del todo. En cuanto tenga reunido el dinero necesario para pagarle la deuda de mis padres —unos cinco o seis años todavía—, ¡vaya si lo hago! Bueno, pero, ahora, lo que tengo que hacer es levantarme, que el tren sale a las cinco."

Volvió los ojos hacia el despertador, que hacía tic-tac encima del baúl.

"¡Santo Dios", exclamó para sus adentros.

Eran las seis y media, y las agujas seguían avanzando tranquilamente. Es decir, ya era más; casi menos cuarto. ¿Es que no había sonado el despertador? Desde la cama podía ver que efectivamente había sido puesto en las cuatro; en consecuencia, seguro que había sonado. Pero, ¿es posible continuar durmiendo tranquilo, pese a aquel ruido que conmovía hasta los muebles? Su sueño no había sido tranquilo. Pero, por eso mismo, quizá había sido más profundo. Y, ¿qué hacía él ahora? El tren siguiente salía a las siete; para alcanzarlo, era necesario apurarse demasiado. El muestrario no estaba aún empaquetado, y por último, él mismo no se sentía nada dispuesto. Además, aunque alcanzara el tren, no por ello evitaría la filípica del amo, pues el mozo del almacén, que habría bajado al tren de las cinco, debía de haber anunciado ya su falta. El tal mozo era igual que el amo, sin dignidad ni consideración. Y si dijese que estaba enfermo, ¿qué pasaría? Pero esto, además de ser muy penoso, infundiría sospechas, pues Gregorio en los cinco años que llevaba empleado, no había estado enfermo ni una sola vez. Seguro vendría el principal con el médico del seguro. Se desataría en reproches, delante de los padres, respecto a la haraganería del hijo, y cortaría todas las objeciones alegando el dictamen del médico, para quien todos los hombres están siempre sanos y sólo padecen de horror al trabajo. Y la verdad es que, en este caso, su opinión no habría carecido completamente de fundamento. Salvo cierta somnolencia desde luego superflua después de tan prolongado sueño, Gregorio se sentía admirablemente, con un apetito particularmente intenso.

Mientras meditaba atropelladamente, sin poderse decidir a abandonar la cama, y justo en el momento en que el despertador daba las siete menos cuarto, llamaban suavemente a la puerta que estaba junto a la cabecera de su lecho.

—Gregorio dijo la voz de su madre—, son las siete menos cuarto. ¿No ibas a salir de viaje?

¡Qué voz más dulce! Gregorio se horrorizó al oír en cambio la suya, que era la de siempre, pero salía mezclada con un doloroso e irreprimible silbido, en el cual las palabras, al principio claras, luego se trababan, resonando de modo que no estaba seguro de haberlas oído. Gregorio hubiera querido contestar detalladamente y explicando todo; pero, en vista de ello, se limitó a decir:

—Sí, sí. Gracias, madre. Ya me levanto.

A través de la puerta de madera, el cambio de la voz de Gregorio no debió notarse, pues la madre se tranquilizó con esta respuesta y se retiró. Pero este corto diálogo hizo saber a los demás miembros de la familia que Gregorio, contrariamente a lo que se creía, estaba todavía en casa. Llegó el padre a su vez, y golpeando ligeramente la puerta, llamó:

—Gregorio, ¡Gregorio!, ¿qué sucede? —Esperó un momento y volvió a insistir, alzando la voz—: Gregorio, ¡Gregorio!

Mientras tanto, detrás de la otra hoja, la hermana se lamentaba dulcemente:

—Gregorio, ¿no estás bien? ¿Necesitas algo?

—Ya estoy listo —les respondió Gregorio a ambos a un tiempo, aplicándose a pronunciar y hablando con gran lentitud, para disimular el sonido extraño de su voz. Volvió el padre a su desayuno, pero la hermana siguió musitando:

—Abre, Gregorio; te lo suplico.

Cosa en la que no pensaba Gregorio, ni mucho menos, felicitándose por el contrario, de aquella precaución suya —costumbre contraída en los viajes— de encerrarse en su cuarto por la noche, incluso estando en su casa.

Había que empezar por levantarse de la cama, arreglarse sin ser molestado y, sobre todo, desayunar. Sólo después de efectuado todo esto pensaría en lo demás, pues comprendía de sobra que en la cama no podía pensar. Recordaba haber sentido ya con frecuencia en la cama cierto dolor, producido sin duda por alguna mala posición, y que, una vez levantado, resultaba ser obra de su imaginación; y tenía curiosidad por ver cómo habrían de desvanecerse paulatinamente sus divagaciones de hoy. Tampoco dudaba de que el cambio de su voz era simplemente el principio de un resfriado mayúsculo, enfermedad profesional del viajante de comercio.

Arrojar la colcha lejos de sí era cosa sencilla. Le bastaría para ello con asombrarse un poco: la colcha caería por sí sola. Pero la dificultad estaba en la extraordinaria anchura de Gregorio. Para incorporarse, podía haber ayudado con los brazos y las manos; pero en su lugar, tenía ahora innumerables patas en permanente agitación y le era imposible hacerse dueño de ellas. Quería incorporarse. Se es-

37

tiraba; lograba por fin dominar una de sus patas; pero, mientras tanto, las demás proseguían su libre y doloroso tumulto. "No conviene hacerse el zángano en la cama", pensó.

Primero intentó sacar de la cama la parte de abajo del cuerpo. Pero esta parte inferior —que por cierto no había visto todavía, y que, por lo tanto, le era imposible representarse en su exacta conformación— resultó ser demasiado difícil de mover. La operación comenzó despacio. Gregorio, ya nervioso, concentró toda su energía y, sin detenerse ante nada, se arrastró hacia adelante. Pero no calculó bien la dirección, se dio un fortísimo golpe contra los pies de la cama, y el dolor que esto le causó le demostró, con su intensidad, que la parte inferior de su cuerpo era, precisamente, en su nuevo estado, la más sensible. Trató de sacar primero la parte superior y volvió con precaución la cabeza hacia el borde del lecho. Esto no ofreció ninguna dificultad, y no obstante su anchura y peso, todo el cuerpo siguió por fin, aunque lentamente, el movimiento iniciado por la cabeza. Pero, al verse con ésta colgando en el aire, le entró miedo de continuar avanzando en igual forma, porque, dejándose caer así, era necesario un verdadero milagro para sacar indemne la cabeza, y ahora menos que nunca quería perder el sentido. Antes prefería quedarse en la cama.

Pero cuando, después de realizar a la inversa los mismos esfuerzos, subrayándolos con hondísimos suspiros, se halló de nuevo en la misma posición y tornó a ver sus patas presas de una excitación mayor que antes, comprendió que no disponía de medio alguno para remediar tamaño absurdo, y volvió a pensar que no debía seguir en la cama y que lo más cuerdo era arriesgarlo todo, aunque sólo quedase una ínfima esperanza. Pero de inmediato recordó que, mejor que tomar decisiones extremas, era meditar serenamente. Sus ojos se clavaron en la ventana; pero, por desgracia, la vista de la niebla que aquella mañana ocultaba por completo el lado opuesto de la calle, poca esperanza y escasos ánimos habían de infundirle. "Ya las siete —se dijo al oír de nuevo el despertador—. ¡Las siete ya, y todavía continúa la niebla!" Durante un instante permaneció echado, sin moverse y respirando despacio, como si esperara que el silencio lo hiciese regresar a su condición normal.

Pero pensó: "Antes de las siete y cuarto es preciso que me haya levantado. Sin contar que, entre tanto, vendrá seguramente alguien del almacén a preguntar por mí, pues allí abren antes de las siete." Y se dispuso a salir de la cama, balanceándose cuan largo era. Dejándose caer en esta forma, la cabeza, que tenía el firme propósito de mantener enérgicamente erguida, saldría probablemente sin daño alguno. La espalda parecía ser bastante resistente: nada le pasaría al dar con ella en la alfombra. Únicamente le hacía vacilar el temor al estruendo que esto habría de producir, y que sin duda daría lugar si no a un susto, por lo menos a una zozobra. Pero no quedaba más remedio que afrontar esta perspectiva.

Gregorio ya estaba a medias fuera de la cama (el nuevo método parecía un juego y no un trabajo, pues sólo implicaba balancearse siempre hacia atrás), cuando cayó en la cuenta de que todo sería más fácil si alguien viniese en su ayuda. Con dos personas robustas (pensaba en su padre y en la criada) bastaría. Sólo tendrían que pasar los brazos por debajo de sus abombada espalda, desenfundarlo de la cama y, agachándose luego con la carga, permitirle solícitamente estirarse por completo en el suelo, donde era de presumir que las patas demostrarían su razón de ser. Ahora bien, prescindiendo de que las puertas estaban cerradas, ¿le convenía realmente pedir ayuda? Pese a lo apurado de su situación no pudo menos que sonreír.

Ya había avanzado tanto, que un único balanceo, más fuerte que los anteriores, alcanzaría para hacerle perder casi por completo el equilibrio. Además, muy pronto no le quedaría otro remedio que tomar una determinación, pues sólo faltaban cinco minutos para las siete y cuarto. En esto, llamaron a la puerta del piso. "Bien, debe ser alguien del almacén", pensó Gregorio, quedando de pronto suspenso, mientras sus patas seguían danzando cada vez más rápidamente. Permaneció todo en completo silencio. "No abren", pensó entonces, asiéndose a tal absurda esperanza. Pero, como no podía menos que suceder, sintió aproximarse a la puerta las fuertes pisadas de la criada. Y la puerta se abrió. Le bastó a Gregorio oír la primera palabra pronunciada por el visitante, para percatarse de quién era. Era el principal en persona. ¿Por qué estaría Gregorio condenado a trabajar en una casa en la cual la más mínima ausencia despertaba inmediatamente las más trágicas sospechas? ¿Es que los empleados, todos en general y cada uno en particular, no eran sino unos pillos? ¿Es que no podía haber entre ellos algún hombre de bien que después de perder aunque sólo fuese un par de horas de la mañana, se volviese loco de remordimiento y no se hallase en condiciones de abandonar la cama? ¿Es que no bastaba acaso con mandar a preguntar por un chico, suponiendo que tuviese fundamento esta manía de investigar, sino que era preciso que viniese el mismísimo principal a enterar a toda una inocente familia de que sólo él tenía calidad para intervenir en la investigación de tan tenebroso asunto? Y Gregorio, sobreexcitado por estos pensamientos y ya decidido, se lanzó con fuerza de la cama. Se escuchó un golpe sordo, que sin embargo no llegaba a ser estruendo. La alfombra suavizó su caída; su espalda tenía también más elasticidad de lo que él había supuesto, y esto evitó que el ruido fuese tan espantoso como temía. Pero no tuvo cuidado de mantener la cabeza suficientemente erguida; se hirió, y el dolor hizo que la restregase rabiosamente contra la alfombra.

—Algo ha ocurrido ahí dentro —dijo el principal en la habitación de la izquierda.

Gregorio intentó imaginar que al principal pudiera sucederle algún día lo mismo que hoy a él, posibilidad no del todo descartada. Pero el otro, como contestando brutalmente a esta suposición, dio con energía algunos pasos por el cuarto vecino, haciendo crujir sus botas de charol. Desde la habitación contigua a la derecha, la hermana susurró esta noticia:

—Gregorio, ahí está el principal.

"Ya lo sé", contestó Gregorio para sus adentros. Pero no osó levantar la voz hasta el punto de hacerse oír por su hermana.

—Gregorio —dijo por fin el padre desde la habitación contigua de la izquierda—, Gregorio, ha venido el señor principal y pregunta por qué no te marchaste en el primer tren. No sabemos qué debemos contestarle. Además, desea hablar personalmente contigo. Haz el favor de abrir la puerta. El señor principal tendrá la bondad de disculpar el desorden del cuarto.

—¡Buenos días, señor Samsa! —terció entonces amablemente el principal.

—No se encuentra bien —dijo la madre a este último mientras el padre continuaba hablando junto a la puerta—. No está bien, créame, señor principal. ¿Si no, cómo iba mi hijo a perder el tren? Si el muchacho no tiene otra cosa en la cabeza más que su trabajo. ¡Casi me molesta que no salga nunca! Ahora, por ejemplo, ha estado aquí ocho días; pues bien, ¡ni una sola noche ha salido de casa! Se sienta con nosotros a la mesa, lee el periódico sin decir palabra o estudia itinerarios. Su única diversión consiste en trabajos de carpintería. En dos o tres veladas ha tallado un marquito. Cuando usted lo vea, se va a asombrar; es hermoso. Ahí está colgado, es su cuarto; ya lo verá en seguida, en cuanto abra. Por otra parte, celebro verlo a usted, señor principal, pues nosotros solos nunca hubiéramos podido decidir a Gregorio a abrir la puerta. ¡Es tan testarudo! Seguramente no se encuentra bien, aunque antes dijo lo contrario.

—Voy en seguida —exclamó lentamente Gregorio, circunspecto e inmóvil para no perder palabra de la conversación.

—De otro modo, no sabría explicármelo, señora —repuso el principal—. Es de esperar que no será nada serio. Aunque, por otra parte, no tengo más remedio que decir que nosotros, los comerciantes, desgraciada o afortunadamente, como se quiera, tenemos a la fuerza que saber sufrir a menudo ligeras indisposiciones, anteponiendo los negocios a todo.

—Bueno —preguntó el padre, impacientándose y tornando a llamar a la puerta—, ¿puede entrar ya el señor principal?

—No —respondió Gregorio.

En la habitación contigua de la izquierda reinó un silencio lleno de tristeza, y la hermana comenzó a sollozar en la de la derecha.

Pero, ¿por qué no iba ella a reunirse con los demás? Es verdad que acababa de levantarse y que ni siquiera había comenzando a vestirse. Pero, ¿por qué lloraba? Quizá porque su hermano no se levantaba, porque no hacía pasar al principal, o porque corría el peligro de perder su puesto, con lo que el dueño volvería a atormentar a los padres con las deudas de antaño. Pero éstas, por el momento, eran preocupaciones completamente gratuitas. Gregorio estaba todavía allí, no pensaba ni remotamente en abandonar a los suyos. Por el momento, yacía en la alfombra, y a nadie que conociera el estado en que se encontraba se le hubiese ocurrido que podía hacer entrar en su cuarto al principal. Pero esta pequeña descortesía, que más adelante sabría explicar satisfactoriamente, no era motivo para despedirlo sin demora.

Gregorio pensó que, por de pronto, mucho mejor que coaccionarlo con llantos y discursos era dejarle tranquilo. Pero la incertidumbre en que se hallaban respecto a él era precisamente lo que aguijoneaba a los otros disculpando su actitud.

—Señor Samsa —dijo por fin, el principal con voz hueca—, ¿qué significa esto? Se ha atrincherado usted en su habitación. No responde más que sí o no. Inquieta usted grave e inútilmente a su familia, y, dicho sea de paso, falta a su obligación en el almacén de una manera verdaderamente inaudita. Le hablo a usted aquí en nombre de sus padres y de su jefe, y le ruego, muy en serio, que se explique de inmediato y con claridad. Estoy asombrado, yo le tenía a usted por un hombre formal y juicioso, y parece que ahora, de repente, quiere hacer gala de incomprensibles extravagancias Es verdad que el jefe me insinuó esta mañana una explicación posible de su falta: referíase al cobro que se le encargó a usted hiciese anoche en efectivo; pero yo casi empeñé mi palabra de honor de que esta explicación no era correcta. Pero ahora, ante este silencio incomprensible, no me quedan ganas de seguir interesándome por usted. Su posición no es muy segura. Mi intención era decirle todo esto a solas; pero como usted tiene a bien hacerme perder el tiempo inútilmente, no veo por qué no habrían de enterarse también sus señores padres. En estos últimos tiempos, su trabajo ha dejado mucho que desear. Cierto que no es ésta la época más propicia para los negocios; nosotros mismos lo reconocemos. Pero, señor Samsa, no hay época, no debe haberla, en que los negocios estén completamente detenidos.

—Señor principal —gritó Gregorio fuera de sí, olvidándose en su excitación de todo lo demás—. Voy inmediatamente, voy al momento. Una leve indisposición, un desvanecimiento, me impidió levantarme. Todavía estoy acostado. Pero ya me siento casi completamente bien. Ahora mismo me levanto. ¡Un poco de paciencia! Aún no me encuentro tan bien como creía. Pero ya estoy mejor. ¡No se comprende cómo le pueden suceder a uno estas cosas! Ayer me sentía yo tan bien. Sí, mis padres lo saben, Mejor dicho, ya ayer por la tarde tuve una especie de presentimiento. ¿Cómo no me lo habrán notado? Y, ¿por qué no lo diría yo en el almacén? Pero siempre cree uno que podrá pasar la enfermedad sin necesidad de estar en casa. ¡Señor principal, tenga consideración con mis padres! No hay motivo para todos los reproches que me hace usted ahora; nunca me han dicho nada de eso. Sin duda, usted no ha visto los últimos pedidos que he transmitido. Por otra parte, saldré en el tren de las ocho. Estas dos horas de descanso me han fortalecido. No se detenga más, señor principal. En seguida iré al almacén. ¡Le ruego que explique allí esto, y que presente mis respetos al jefe!

Y mientras esperaba atropelladamente este discurso, sin casi saber lo que decía, Gregorio, gracias a la soltura ya adquirida en la cama, se acercó fácilmente al baúl e intentó enderezarse apoyándose en él. Quería efectivamente abrir la puerta, dejarse ver al principal, hablar con él. Sentía curiosidad por saber qué dirían cuando lo viesen esos que con tanto énfasis lo llamaban. Si se asustaban, Gregorio, encontrándose desligado de toda responsabilidad, no tenía por qué temer. Si, por el contrario, se quedaban tan tranquilos, tampoco él tenía por qué excitarse, y podía, dándose prisa, estar realmente a las ocho en la estación. Varias veces se escurrió contra las lisas paredes del baúl; pero al fin, un último salto lo puso en pie. De los dolores de vientre, aunque muy vivos, no se cuidaba. Se dejó caer contra el respaldo de una silla cercana, a cuyos bordes se agarró fuertemente con sus patas. Logró a la vez recuperar el dominio de sí mismo, y calló para escuchar lo que decía el principal.

—¿Han entendido ustedes una sola palabra? —preguntó éste a los padres—. ¿No será que se está burlando de nosotros?

—¡Por amor de Dios! —exclamó la madre llorando—. Tal vez se siente muy mal y nosotros lo estamos mortificando. —Seguidamente llamó—: ¡Greta! ¡Greta!

—¿Qué madre? —respondió la hermana desde el otro lado de la habitación de Gregorio, a través de la cual hablaban.

—Debes ir a buscar al médico en seguida; Gregorio está enfermo. ¿Has oído cómo hablaba ahora?

—Es una voz animal —dijo el principal, que hablaba en voz sumamente baja, comparada con el griterío de la madre.

—¡Ana! ¡Ana! —llamó el padre, volviéndose hacia la cocina a través del vestíbulo y dando palmadas—. Vaya inmediatamente a buscar un cerrajero.

Ya se sentía el rumor de las faldas de las dos muchachas que salían corriendo (¿cómo se había vestido tan rápidamente su hermana?), y ya se oía abrir de golpe la puerta del piso. Pero no se percibió ningún portazo. Debieron dejar la puerta abierta, como suele suceder en las casas donde ha ocurrido una desgracia.

Pero Gregorio se hallaba ya mucho más tranquilo. Cierto es que sus palabras resultaban incomprensibles aunque a él le parecían muy claras, más claras que antes, sin duda porque ya se le iba acostumbrando el oído. Pero lo esencial era que ya se habían percatado los demás de que algo insólito le sucedía y se disponían a acudir en su ayuda. La decisión y firmeza con que fueron tomadas las primeras disposiciones le aliviaron. Se sintió nuevamente incluido entre los seres humanos, y esperó del médico y el cerrajero acciones extrañas y maravillosas. Y, a fin de poder intervenir lo más claramente posible en las conversaciones decisivas que se avecinaban, carraspeó suavemente, forzándose a hacerlo en forma muy leve, por temor a que este ruido también sonase a algo que no fuese una tos humana, cosa que ya no estaba seguro de poder distinguir. Mientras tanto, en la habitación de al lado el silencio era total. Quizá los padres, sentados a la mesa con el principal, cuchicheaban con él. Tal vez estaban todos junto a la puerta, escuchando.

Gregorio se deslizó lentamente con el sillón hacia la puerta; al llegar allí, abandonó el asiento, se arrojó contra ésta y se sostuvo de pie, agarrado, pegado a ella por la viscosidad de sus patas. Descansó así un rato del esfuerzo realizado. Luego intentó con la boca hacer girar la llave dentro de la cerradura. Por desgracia, no parecía tener lo que propiamente llamamos dientes. ¿Con qué iba entonces a aferrar la llave? Pero, en cambio, sus mandíbulas eran muy fuertes, y sirviéndose de ellas pudo poner la llave en movimiento, sin reparar en el daño que seguramente se hacía, pues un líquido oscuro le salió de la boca, resbalando por la llave y goteando al suelo.

—Escuchen ustedes —dijo el principal, en el cuarto inmediato—, está girando la llave.

Estas palabras alentaron mucho a Gregorio, pero todos, el padre, la madre, debían haberle gritado: "¡Adelante, Gregorio!" Sí, debían haberle gritado: "¡Siempre adelante! ¡Duro con la cerradura!" E, imaginando la ansiedad con que todos seguirían sus esfuerzos, mordió la llave con toda su alma, medio desfalleciente. Y, a medida que ésta giraba en la cerradura, él se sostenía meciéndose en el aire, colgado por la boca, y, conforme era necesario, se agarraba de la llave o la empujaba hacia abajo con todo el peso de su cuerpo. El sonido metálico de la cerradura, cediendo al fin, lo volvió completamente en sí. "Bueno se dijo con un suspiro de alivio—; no ha sido necesario que venga el cerrajero", y golpeó en el pestillo con la cabeza para terminar de abrir.

Este modo de hacerlo fue la causa de que, aunque libre ya la entrada, todavía no se lo viese. En primer lugar, giró lentamente contra una de las hojas de la puerta, con gran cuidado para no caerse bruscamente de espaldas en el umbral. Y aún estaba ocupado en llevar a cabo tan difícil movimiento, sin tiempo para pensar en otra cosa, cuando sintió un "¡oh!" del principal, que sonó como suena el mugido del viento, y vio a este hombre (el más cercano a la puerta) taparse la boca con la mano y retroceder lentamente, como llevado por una fuerza invisible.

La madre —que, no obstante la presencia del principal, estaba allí despeinada, con el pelo recogido en lo alto de la cabeza— miró primero a Gregorio, juntando las manos, avanzó luego dos pasos hacia él, y por fin se desmoronó, en medio de las faldas esparcidas a su alrededor, con el rostro oculto en las profundidades del pecho. El padre amenazó con el puño (con expresión hostil, como si quisiera empujar a Gregorio hacia el interior de la habitación); luego se volvió, saliendo con paso inseguro y, cubriéndose los ojos con las manos, rompió a llorar de tal modo que el llanto sacudía su robusto pecho.

Gregorio, pues, no llegó a penetrar en la habitación; desde el interior de la suya, permaneció apoyado en la hoja cerrada de la puerta, de modo que sólo presentaba la parte superior del cuerpo, con la cabeza inclinada en medio lado, examinando a los presentes. Mientras, había ido clareando, y en la acera opuesta se recortaba nítidamente una parte del negruzco edificio de enfrente. Se trataba de un hospital, cuya fachada monótona rompían simétricas ventanas. La lluvia no había cesado, pero caía ya en gotas aisladas, que se veían llegar intermitentemente al suelo. Sobre la mesa estaban los utensilios del servicio del desayuno, pues, para el padre, ésta era la comida principal del día, y gustaba de prolongarla con la lectura de varios periódicos. En el lienzo de pared que daba justo frente a Gregorio, colgaba un retrato de éste, hecho durante su servicio militar, que lo representaba con uniforme de teniente, la mano sobre la espada, sonriendo con despreocupación y un aire que parecía exigir respeto para su indumentaria y su actitud. Esa habitación daba al vestíbulo, por la puerta abierta se veía la del piso, abierta también, el rellano de la escalera y el arranque de esta última, que conducía a los pisos inferiores.

—Bueno —dijo Gregorio, consciente de ser el único que había conservado la serenidad—. Bueno, me visto al momento, recojo el muestrario y salgo de viaje. ¿Me permitiréis que salga de viaje, verdad? Señor principal, ya ve usted que no soy caprichoso y que trabajo a gusto. El viajar es cansador pero yo no sabría vivir sin viajar. ¿Adónde va usted, señor principal? ¿Al almacén? ¿Sí? ¿Lo contará todo tal como ha sucedido? Puede uno tener un momento de debilidad para el trabajo, pero entonces es precisamente cuando deben acordarse los jefes de lo útil que uno ha sido, y pensar que, una vez pasado el impedimento, volverá a ser tanto más activo y trabajará con mayor celo. Yo, como usted bien sabe, le estoy muy agradecido al jefe. Por otro lado, también debo atender a mis padres y a mi hermana. Es verdad que hoy me encuentro en una difícil situación. Pero trabajando lograré abrirme paso. Usted no me haga la cosa más difícil de lo que ya es. Póngase de mi parte. Ya sé que al viajante no se le quiere. Todos creen que gana el dinero a paladas, y que se da la gran vida. Cierto es que no hay ninguna razón especial para que este prejuicio desaparezca. Pero usted, señor principal, está más enterado de lo que son las cosas que el resto del personal, incluso, y dicho sea entre nosotros, que el propio jefe, el cual en su calidad de amo, se equivoca con frecuencia respecto de un empleado. Usted sabe muy bien que el viajante, como está fuera del almacén la mayor parte del año, es fácil pasto de murmuraciones y víctima propicia de coincidencias y quejas infundadas, contra las cuales no le es fácil defenderse, ya que la mayoría de las veces no llegan a su conocimiento, y que únicamente al regresar reventado de un viaje es cuando empieza a notar directamente las terribles derivaciones de una conjura invisible. Señor principal, no se vaya usted sin decirme algo que me pruebe que me da usted la razón, por lo menos en parte.

Pero, desde las primeras palabras de Gregorio, el principal había dado media vuelta, y contemplaba a aquél por encima del hombro, convulsivamente agitado y con un gesto de asco en los labios. Mientras Gregorio hablaba, no permaneció un momento quieto. Se aproximó a la puerta sin quitarle los ojos de encima, pero muy lentamente, como si una fuerza misteriosa le impidiese olvidar aquella habitación. Llegó, por fin, al recibidor y, ante la rapidez con que alzó por última vez el pie del suelo, se diría que había pisado fuego. Estiró su brazo derecho hacia la escalera, como si esperase encontrar allí milagrosamente su libertad.

Gregorio comprendió que no debía de ningún modo dejar marchar al principal en ese estado de ánimo, pues si no su puesto en el almacén estaba seriamente amenazado. Sus padres no lo comprendían tan bien como él, porque en el transcurso de los años habían llegado a hacerse la ilusión de que la posición de Gregorio en aquella casa sólo podía acabar con su vida; además habían renunciado a toda prudencia. Pero no era el caso de Gregorio, que se percataba de que era indispensable retener al principal, apaciguarle, convencerle, seducirle. De ello dependía el porvenir de Gregorio y de los suyos. ¡Si siquiera estuviese ahí la hermana! Era muy lista; había llorado cuando aún yacía Gregorio tranquilamente sobre la espalda. Seguro que el principal, galante con el bello sexo, se hubiera dejado llevar por ella a donde ella hubiera querido. Pero la hermana no aparecía, y Gregorio tenía que arreglárselas solo. Y, sin pensar que todavía no conocía sus nuevas facultades de movimiento, ni tampoco que lo más posible, y hasta lo más seguro, era que no habría logrado darse a entender con su discurso, abandonó la hoja de la puerta en que se apoyaba y se deslizó por el hueco formado en la abertura de la otra, con intención de avanzar hacia el principal, que seguía fanáticamente agarrado a la barandilla del rellano. Pero de inmediato cayó a tierra, intentando, con inútiles esfuerzos, sostenerse sobre sus innumerables y pequeñas patas, y exhalando un leve quejido. Al instante se sintió, por primera vez en aquel día, invadido por un verdadero bienestar: las patitas, apoyadas en el suelo, le obedecían a la perfección. Lo notó con la natural alegría y vio que se esforzaban en llevarlo donde él deseaba ir, dándole la sensación de haber llegado al cabo de sus sufrimientos. Pero en el preciso momento en que Gregorio, a causa del movimiento contenido, se balanceaba a ras de tierra, no lejos de su madre, ésta, a pesar de hallarse tan ensimismada, dio un salto y se puso a gritar extendiendo los brazos y separando los dedos:

—¡Socorro! ¡Por amor de Dios! ¡Socorro!

Inclinaba la cabeza como para observar mejor a Gregorio; pero de repente, como para desmentir este supuesto, se desplomó hacia atrás, cayendo inerte sobre la mesa, y no habiendo recordado que estaba aún puesta, quedó sentada en ella, sin darse cuenta de que el café chorreaba de la cafetera volcada, derramándose en un punto fijo de la alfombra.

—¡Madre! ¡Madre! —murmuró Gregorio, mirándola de abajo arriba. Por un instante huyó de su mente el principal; y no pudo menos, ante el café vertido, que abrir y cerrar repetidas veces las mandíbulas en el vacío. Nuevo alarido de la madre, que, huyendo de la mesa, se arrojó en brazos del padre, que corría a su encuentro. Pero ya no podía Gregorio dedicar su atención a sus padres; el principal permanecía en la escalera y, con la barbilla apoyada sobre la baranda, dirigía una última mirada a aquel cuadro. Gregorio tomó impulso para alcanzarle, pero aquél algo debió figurarse; de un salto bajó varios escalones y desapareció, no sin antes emitir unos gritos que retumbaron en toda la escalera. Para peor, la fuga del principal pareció trastornar también por completo al padre, que hasta entonces se había mantenido relativamente sereno; pues, en lugar de precipitarse tras el fugitivo, o por lo menos permitir que así lo hiciese Gregorio, empuñó con la diestra el bastón del principal —que éste no se había cuidado de recoger, como tampoco su sombrero y su abrigo, olvidados en una silla— y, armándose con la otra mano de un gran periódico, que estaba sobre la mesa, se aprestó, dando fuertes patadas en el suelo, esgrimiendo papel y bastón, a hacer retroceder a Gregorio hasta el interior de su cuarto. De nada le sirvieron a este último sus ruegos, que no fueron entendidos; y, por mucho que dobló sumiso la cabeza hacia su padre, sólo consiguió hacerle redoblar su enérgico pataleo.

La madre, por su parte, a pesar del tiempo desapacible, había bajado el cristal de una de las ventanas y, violentamente inclinada hacia afuera, se cubría el rostro con ambas manos. Entre el aire de la calle y el de la escalera se formó una corriente fortísima; las cortinas de la ventana se ahuecaron; sobre la mesa los periódicos se agitaron, y algunas hojas sueltas volaron por el suelo. El padre, inexorable, apremiaba la retirada con silbidos estridentes. Pero Gregorio carecía aún de práctica en la marcha hacia atrás, y la cosa iba muy despacio. ¡Si hubiera podido volverse! En un dos por tres se hubiese encontrado en su cuarto. Pero temía, con su lentitud en dar la vuelta, impacientar al padre cuyo bastón erguido amenazaba deslomarlo o partirse en su cabeza. Por último, sin embargo, no tuvo más remedio que volverse, pues advirtió que, marchando para atrás, no le era posible conservar la dirección. Así es que, sin dejar de mirar con dolor hacia su padre, inició una vuelta lo más rápidamente que pudo, es decir, con extraordinaria lentitud. El padre debió de percatarse de su buena voluntad, pues dejó de perseguirlo, dirigiendo incluso de lejos con la punta del bastón el movimiento giratorio. ¡Si al menos hubiese cesado ese irresistible silbido! Esto era lo que a Gregorio le hacía perder por completo la cabeza. Cuando ya iba a terminar la vuelta, aquel silbido le desorientó, haciéndolo retroceder otro poco. Por fin logró verse frente a la puerta. Pero entonces comprendió que su cuerpo era demasiado ancho para poder franquearla así como así. Al padre, en aquella su actual disposición de ánimo, no se le ocurrió abrir la otra hoja para dejar espacio suficiente. Sólo una idea lo embargaba: que Gregorio debía meterse cuanto antes en su habitación. Tampoco hubiera él permitido nunca los enojosos preparativos que él necesitaba para incorporarse, y, de este modo, pasar por la puerta. Como si no existiese para esto ningún impedimento, lo empujaba con estrépito creciente. Gregorio sentía tras de sí una voz que parecía imposible fuese la de su padre. ¡Cualquiera se andaba con bromas! Gregorio —pasase lo que pasase— se apretujó en el marco de la puerta. Se irguió de medio lado; ahora yacía atravesado en el umbral, con su costado completamente deshecho. En la nitidez de la puerta se adhirieron unas manchas repulsivas. Gregorio quedó allí atascado, totalmente incapaz de hacer por sí solo el menor movimiento. Las patitas de uno de los lados le colgaban en el aire, y las del otro eran dolorosamente presionadas contra el suelo… En eso, el padre le asestó por detrás un golpe enérgico y salvador, que lo precipitó dentro del cuarto, sangrando en abundancia. Luego, la puerta fue cerrada con el bastón, y todo retornó por fin a la calma.

II

Hasta el anochecer no despertó Gregorio de aquel sueño tan pesado, semejante a un desvanecimiento. No habría tardado mucho en despertar por sí solo, pues ya había descansado bastante; pero le pareció que lo despertaba el rumor de unos pasos furtivos y el ruido de la puerta del vestíbulo cerrada con cuidado. El reflejo del tranvía ponía franjas de luz en el techo de la habitación y la parte superior de los muebles; pero abajo, donde estaba Gregorio, reinaban las sombras. Lenta y todavía torpemente, tanteando con sus antenas, cuyo valor ya entonces comprendió, se arrastró hasta la puerta para ver lo que había ocurrido. Su lado izquierdo era una única, larga y repugnante llaga. Andaba cojeando, alternativa y simétricamente, sobre cada una de sus dos filas de patas. Por otra parte, una de estas últimas, herida en el accidente de la mañana —¡milagro fue que las demás saliesen ilesas!—, colgaba sin vida.

Al llegar a la puerta, comprendió que lo que lo había atraído era el olor de algo que se comía. Encontró una escudilla llena de leche azucarada, en la cual nadaban trocitos de pan blanco. Por poco se echa a reír de alegría, porque tenía aún más hambre que por la mañana. Al momento sumergió la cabeza en la leche casi hasta los ojos; mas pronto tuvo que retirarla desilusionado, porque no sólo la dolencia de su costado izquierdo le hacía penosa la operación (para comer tenía que poner todo el cuerpo en movimiento), sino que además la leche, que hasta entonces fuera su bebida predilecta —por eso, sin duda, la había dejado allí la hermana—, no le gustó nada. Se apartó casi con repugnancia de la escudilla y se arrastró de nuevo hacia el centro de la habitación. Por la rendija de la puerta vio que el gas estaba encendido en el comedor. Pero, contrariamente a lo que sucedía siempre, no se oía la alta voz del padre leyendo, a la madre y a la hermana, el diario de la noche. No se sentía el menor ruido. Quizás esta costumbre, de la que siempre le hablaba la hermana en sus cartas, hubiese últimamente desaparecido. Pero todo alrededor estaba silencioso, y eso que, con toda seguridad, la casa no estaba vacía.

"¡Qué vida más tranquila parece llevar mi familia!", pensó Gregorio. Y, mientras sus miradas se clavaban en la sombra, se sintió orgulloso de haber podido proporcionar a sus padres y hermana tan sosegada existencia. Con pavor pensó que aquella tranquilidad, aquel bienestar y aquella alegría tocaban a su término. Para no dejarse extraviar por estos pensamientos, prefirió agitarse físicamente y comenzó a arrastrarse por el cuarto.

En el curso de la noche se entreabrió una vez una de las hojas de la puerta, y otra vez la otra; alguien, sin duda, necesitaba entrar, y vacilaba. Gregorio, en vista de ello, se estacionó contra la misma puerta que daba al comedor, dispuesto a atraer hacia el interior al indeciso visitante, o por lo menos averiguar quién era. Mas la puerta no se volvió a abrir, y esperó inútilmente. En las primeras horas de la mañana, cuando se hallaba la puerta cerrada, todos habían tratado de entrar, y ahora que él había abierto una puerta, y que las otras habían sido también abiertas, sin duda, durante el día, ya no venía nadie, y las llaves quedaban por fuera, en las cerraduras.

Muy entrada la noche, se apagó la luz del comedor. Pudo comprender por ello que sus padres y su hermana habían velado hasta entonces. Sintió que se alejaban de puntillas. Hasta por la mañana no entraría ya seguramente nadie a verlo; tenía tiempo sobrado para pensar, sin temor a ser importunado, acerca de cómo le convendría ordenar en adelante su vida. Pero aquella habitación fría y de techo alto donde había de permanecer echado de bruces le dio miedo sin, que lograse explicarse el porqué, pues era la suya, la habitación en que vivía desde hacía cinco años... Bruscamente, y con cierto rubor, se precipitó debajo del sofá, donde, no obstante sentirse algo estrujado por no poder levantar la cabeza, se encontró en seguida muy bien, lamentando únicamente no poder introducirse allí por completo a causa de su excesiva corpulencia.

Así permaneció toda la noche, parte en un semisueño, del que lo despertaba con sobresalto el hambre, y parte también presa de preocupaciones y esperanzas no muy definidas, pero cuya conclusión era siempre la necesidad, por de pronto, de mantener calma y paciencia y hacer lo posible para que la familia, por su parte, soportase cuantas molestias él, en su estado actual, no podía menos que causar.

Muy temprano —apenas clareaba el día—, Gregorio tuvo ocasión de experimentar la fuerza de estas resoluciones. Su hermana, casi arreglada, abrió la puerta que daba al recibidor y miró ávidamente hacia el interior. Al principio no vio, pero al divisarlo luego debajo del sofá —¡en algún sitio había de estar, santo Dios! ¡No pudo haberse volado!— se asustó tanto, que, sin poderse dominar, volvió a cerrar la puerta. Pero debió arrepentirse de su actitud, pues tornó a abrir al momento y entró de puntillas, como si fuese la habitación de un enfermo de gravedad o la de un extraño. Gregorio, con la cabeza casi asomada fuera del sofá, la observaba. (Repararía en que no había probado la leche y, comprendiendo que ello no era por falta de apetito, ¿le traería de comer algo más adecuado?) Pero, si por ella misma no lo hacía, él prefería morirse de hambre antes que llamarle la atención sobre esto, no obstante sentir unas ganas tremendas de salir de debajo del sofá, arrojarse a sus pies y suplicarle le trajese algo bueno de comer. Pero la hermana, asombrada, advirtió de inmediato que la escudilla no había sido tocada; únicamente se había volcado un poco de leche. Recogió ésta en seguida; es cierto que no con la mano, sino con un trapo, y se la llevó. Gregorio sentía gran curiosidad por ver lo que iba a traerle en sustitución, haciendo respecto a ello muchas y muy distintas conjeturas. Pero nunca hubiera adivinado lo que la bondad de la hermana le reservaba. A fin de ver cuál era su gusto, le trajo un surtido completo de alimentos y los extendió sobre un periódico viejo: allí había legumbres pasadas, un poco podridas huesos de la cena de la víspera, rodeados de salsa blanca cuajada; pasas y almendras; un trozo de queso que, dos días antes, Gregorio había considerado incomible; un pan duro; otro untado con manteca, y otro con manteca y sal. Agregó a esto la escudilla, que por lo visto quedaba destinada para Gregorio definitivamente, pero ahora estaba llena de agua. Por delicadeza (pues sabía que Gregorio no comería estando ella presente) se alejó lo más pronto que pudo y echó la llave, sin duda para que Gregorio comprendiese que podía ponerse a sus anchas. Al ir Gregorio a comer, sus patas produjeron como un zumbido. Por otra parte, las heridas debían de haberse curado ya por completo, porque no sintió ninguna molestia; lo cual no dejó de sorprenderle, pues recordó que hacía más de un mes se había herido con un cuchillo en un dedo y que la antevíspera todavía le dolía bastante. "¿Tendré ahora menos sensibilidad que antes?", pensó, mientras comenzaba a chupar con glotonería el queso, que fue lo que primero y con más fuerza lo sedujo. Rápidamente, con los ojos arrasados en lágrimas de alegría, devoró sucesivamente el queso, las legumbres y la salsa. En cambio, los alimentos frescos no le gustaban; su olor mismo le era insoportable, hasta el punto de arrastrar lejos aquellas cosas que no quería comer. Ya hacía un rato que había terminado. Se hallaba perezosamente extendido en el mismo sitio, cuando la hermana, para anunciarle, sin duda, que debería alejarse, hizo girar lentamente la llave. A pesar de estar medio dormido, Gregorio se sobresaltó y corrió a ocultarse de nuevo debajo del sofá. Pero quedarse allí, aunque sólo el poco tiempo en que la hermana permaneció en el cuarto, le costó ahora un gran esfuerzo; porque, a consecuencia de la abundante comida, su cuerpo se había abultado y apenas podía respirar en aquel reducido espacio. Presa de un leve ahogo miraba, con los ojos un poco salidos de sus órbitas, a su hermana, completamente ajena a lo que le sucedía, barrer con una escoba no sólo los restos de la comida, sino también los alimentos que Gregorio no había siquiera tocado, como si éstos no pudiesen ya aprovecharse. Y vio también cómo lo arrojaba todo violentamente a un cubo que cerró luego con una tapa de madera, llevándoselo por fin. Apenas se hubo marchado, Gregorio salió de su escondrijo, se desperezó y suspiró.

De esta manera recibió Gregorio diariamente su comida una vez por la mañana, cuando todavía dormían los padres y la criada, y otras después del almuerzo, mientras los padres sesteaban un rato y la criada salía a hacer algún recado. Seguramente no querían tampoco ellos que Gregorio se muriese de hambre; pero tal vez no hubieran podido soportar el espectáculo de su manera de comer, y era mejor que sólo tuviesen una idea a través de la hermana. Tal vez también quería ésta ahorrarles una pena más, sobre lo que ya sufrían.

A Gregorio le fue completamente imposible averiguar con qué disculpas habían despedido aquella mañana al médico y al cerrajero. Como no se hacía comprender por nadie, nadie pensó, ni siquiera la hermana, que él pudiese comprender a los demás. No le quedó otro remedio que contentarse, cuando la hermana entraba en el cuarto, con oír sus rezongos e invocar a Dios y todos los santos. Más adelante, cuando ella se acostumbró mal que bien a la situación (no puede, naturalmente, suponerse que se acostumbrase por completo), pudo Gregorio advertir en ella alguna intención amable, o, por lo menos, algo que se podía considerar como tal.

—Hoy sí que le ha gustado —decía cuando Gregorio había comido opíparamente; mientras que en el caso contrario, cada vez más frecuente, solía decir con un dejo de tristeza:— Vaya, hoy lo ha dejado todo.

Mas, aun cuando Gregorio no podía saber directamente ninguna noticia, prestó atención a lo que sucedía en las habitaciones contiguas, y tan pronto sentía voces, corría hacia la puerta que correspondía al lado de donde provenían y se pegaba a ella cuan largo era. Particularmente en los primeros tiempos, todas las conversaciones se referían a él, aunque no claramente. Durante dos días, en todas las comidas hubo deliberaciones acerca de la conducta que correspondía observar en adelante. También fuera de las comidas se hablaba de lo mismo, pues como ninguno de los miembros de la familia quería permanecer solo en casa y como tampoco quería dejar ésta abandonada, siempre había allí por lo menos dos personas. Ya el primer día, la criada —por cierto que todavía no sabía exactamente hasta qué punto estaba enterada de lo ocurrido— le había rogado de rodillas a la madre que la despidiese en seguida, y al marcharse, un cuarto de hora después, agradeció con lágrimas en los ojos el gran favor que se le hacía, y sin que nadie se lo pidiese, se comprometió, con los más solemnes juramentos, a no contar a nadie absolutamente nada.

La hermana tuvo que ponerse a cocinar con la madre; cosa que, en verdad, no le causaba mucho problema, pues no era demasiado lo que comían. Gregorio los oía continuamente animarse en vano unos a otros a comer, siendo un "gracias, tengo bastante", u otra frase por el estilo, la respuesta invariable a estos requerimientos. Tampoco bebían casi nada. Con frecuencia la hermana preguntaba al padre si quería cerveza, brindándose a ir ella misma a buscarla. Callaba el padre, y entonces ella añadía que también podían mandar a la portera. Pero el padre respondía finalmente un "no" que no admitía réplica, y no se hablaba más del asunto.

Ya el primer día expuso el padre a la madre y a la hermana los detalles de la situación económica familiar y las perspectivas que pronto deberían afrontar. De vez en cuando se levantaba de la mesa para buscar en su pequeña caja de caudales —salvada de la quiebra cinco años antes— algún documento o libro de notas. Se oía el ruido de la complicada cerradura al abrirse y volverse a cerrar, después de haber sacado el padre lo que buscaba. Estas explicaciones fueron, en cierto modo, la primera noticia agradable que pudo escuchar Gregorio desde su encierro. Él estaba convencido que a su padre no le quedaba absolutamente nada del antiguo negocio. El padre, al menos, nada le había dicho que pudiese contrariar esta idea. Verdad es que nunca le había preguntado nada sobre el particular. Por aquel entonces sólo había pensado en poner cuantos medios estuviesen a su alcance para hacer olvidar a los suyos, lo más rápidamente posible, la desgracia mercantil que los hundiera a todos en la más extrema desesperación. Por eso él había empezado a trabajar con tal empeño, transformándose rápidamente, de dependiente sin importancia, en todo un viajante de comercio, con mayores probabilidades de ganar dinero, y cuyos éxitos profesionales se evidenciaban de inmediato bajo la forma de comisiones contantes y sonantes, puestas sobre la mesa familiar ante el asombro y la alegría de todos. Fueron tiempos verdaderamente hermosos. Pero no se había repetido, al menos con igual esplendor, no obstante llegar más tarde Gregorio a ganar lo suficiente para llevar por sí solo el peso de la casa. La costumbre, tanto en la familia, que recibía agradecida el dinero de Gregorio, como en éste, que lo entregaba con gusto, hizo que aquella sorpresa y alegría no volviesen a reproducirse con el mismo calor. Tan sólo la hermana permanecía siempre estrechamente unida a Gregorio, y como, contrariamente a éste, era muy aficionada a la música y tocaba el violín, Gregorio alimentaba la secreta esperanza de mandarla el año próximo al conservatorio, sin reparar en los gastos que esto había forzosamente de ocasionar. Durante las breves estadías de Gregorio junto a los suyos la palabra "conservatorio" sonaba a menudo en las charlas con la hermana, pero siempre como melancolía de un lindo sueño, en cuya realización era casi imposible pensar. A los padres, estos ingenuos proyectos no les hacían ninguna gracia; pero Gregorio pensaba con mucha seriedad en ello, y tenía decidido anunciarlo solemnemente la noche de Navidad.

Todos estos pensamientos, por completo inútiles ya, se agitaban en su cabeza mientras él, pegado a la puerta, oía lo que se decía al lado. A veces el cansancio le impedía prestar atención, y dejaba caer con pesar la cabeza contra la puerta. Pero pronto volvía a erguirla, pues incluso el levísimo ruido que ese gesto suyo originaba era oído en la habitación de al lado, haciendo enmudecer a todos.

—Pero, ¿qué hará esta vez? —decía al rato el padre mirando sin duda hacia la puerta. Y, pasados unos momentos, volvían a la interrumpida conversación.

De este modo supo Gregorio, con gran placer —el padre repetía y recalcaba sus explicaciones en parte porque hacía tiempo que él mismo no se había ocupado de aquellos asuntos, y en parte también porque la madre tardaba en entenderlos— que, a pesar de la desgracia, aún les quedaba algún dinero del antiguo esplendor; verdad es que no demasiado, pero había ido aumentando desde entonces, gracias a los intereses intactos. Además, el dinero entregado por Gregorio todos los meses —se reservaba únicamente una ínfima cantidad— no se gastaba por completo, y había ido a su vez formando un modesto capital. A través de la puerta, Gregorio aprobaba con la cabeza, contento de esa inesperada previsión. Cierto que con este dinero sobrante podía él haber descontado más rápidamente la deuda que su padre tenía con el jefe, y haberse visto libre de ella mucho antes de lo que creyera; pero ahora resultaban sin duda mejor las cosas tal como el padre lo había dispuesto.

Ahora bien, este dinero no alcanzaba para permitir a la familia vivir con holgura de sus rentas; a lo sumo, tendrían para uno o dos años, pero no más. En consecuencia, éste era un capital que no se debía tocar, y que convenía conservar para un caso de necesidad. El dinero para vivir, no había más remedio que ganarlo. Pero el padre, aunque estaba bien de salud, ya era viejo y llevaba cinco años sin trabajar; por lo tanto, poco podía esperarse de él: en estos cinco años que habían constituido los primeros ocios de su laboriosa, pero fracasada existencia, había asimilado mucha grasa y se había puesto excesivamente gordo. ¿Acaso le incumbía trabajar a la madre, que sufría de asma, que se fatigaba con sólo andar un poco por casa, y que un día sí y otro también tenía que tenderse en el sofá, con la ventana abierta de par en par, porque le faltaba la respiración? ¿Le correspondía a la hermana, todavía una niña, con sus diecisiete años, y cuya envidiable existencia había consistido, hasta entonces, en ponerse elegante, dormir todo lo que le pedía el cuerpo, ayudar en los quehaceres domésticos, participar en alguna que otra modesta diversión y, sobre todo, tocar el violín? Cada vez que la conversación se detenía en esta necesidad de ganar dinero, Gregorio abandonaba la puerta y, lleno de pena y vergüenza, se arrojaba sobre el fresco sofá de cuero.

A menudo se pasaba allí toda la noche, sin pegar un ojo, arañando el cuero hora tras hora. A veces también se tomaba el trabajo excesivo de empujar una butaca hasta la ventana y, trepando por el alféizar, permanecía de pie en la butaca y apoyado en la ventana, sumido en sus recuerdos, pues antaño le interesaba siempre mirar por aquella ventana. Poco a poco, las cosas más cercanas se dibujaban con menos claridad. Al hospital de enfrente, cuya vista había deplorado a menudo, ya no lo distinguía; y de no haber sabido que vivía en una calle calmada, aunque completamente urbanizada, hubiera creído que su ventana daba a un desierto en el cual el cielo y la tierra, igualmente grises, se fundían. Sólo dos veces pudo advertir la hermana, siempre vigilante, que la butaca se encontraba junto a la ventana. Y ya, al arreglar la habitación, ella misma acercaba la butaca. Más aún, dejaba abiertos los primeros dobles cristales.

De haber siquiera podido Gregorio conversar con su hermana; de haberle podido dar las gracias por cuanto por él hacía, le hubieran sido más leves estos trabajos que ocasionaba, y que de este modo tanto le hacían sufrir. Sin duda, la hermana hacía cuanto podía por borrar lo doloroso de la situación, y, a medida que transcurría el tiempo, iba consiguiéndolo mejor, como es natural. Pero también Gregorio, a medida que pasaban los días, lo veía todo con mayor claridad.

Ahora la entrada de la hermana era para él algo terrible. Apenas dentro de la habitación, y sin cuidarse siquiera de cerrar previamente las puertas, como antes, para ocultar a todos la vista del cuarto, corría derecho a la ventana, y la abría violentamente, como si se hallase a punto de asfixiarse; y hasta cuando el frío era intenso, permanecía allí un rato respirando con fuerza. Tales carreras y ruidos alarmaban a Gregorio dos veces por día. Y aunque estaba seguro de que ella le hubiese evitado estas molestias de haberle sido posible estar con las ventanas cerradas en la habitación, se quedaba temblando bajo el sofá todo el tiempo que duraba la visita.

Un día —ya había transcurrido un mes desde la metamorfosis, y no tenía por lo tanto la hermana ningún motivo especial para sorprenderse de la apariencia de Gregorio— entró algo más temprano que de costumbre y se encontró a éste mirando inmóvil por la ventana, pero ya dispuesto a asustarse. No le hubiera extrañado que su hermana no entrase, pues él, en la actitud en que estaba, le impedía abrir inmediatamente la ventana. Pero, no sólo entró, sino que retrocedió y cerró la puerta: un extraño hubiera creído que la acechaba para morderla. Claro es que él se escondió de inmediato debajo del sofá, pero hubo de esperar hasta el mediodía antes de ver volver a su hermana, más intranquila que de costumbre. Ello le dio a entender que su vista le seguía siendo insoportable, que lo seguiría siendo, y que había que hacer un gran esfuerzo de voluntad para no salir corriendo al divisar la pequeña parte del cuerpo que sobresalía por debajo del sofá. Y, a fin de ahorrarle incluso esto, transportó un día sobre sus espaldas —trabajo para el cual precisó cuatro horas— una sábana hasta el sofá, y la dispuso de modo que lo tapara por completo y que ya la hermana no pudiese verlo, por mucho que se agachase. Si a ella no le hubiera parecido conveniente este arreglo, hubiese sacado la sábana, pues era fácil comprender que, para Gregorio, aislarse no constituía ningún placer. Pero la dejó como estaba, e incluso Gregorio, al levantar sigilosamente con la cabeza una punta de ella, para ver cómo la hermana reaccionaba ante la nueva disposición, creyó adivinar una mirada de gratitud.

Durante las dos primeras semanas, no pudieron los padres decidirse a entrar a verlo. Él los oyó a menudo ensalzar los trabajos de la hermana, cuando hasta entonces solían reñirla, por parecerles una jovencita prácticamente inútil. Con frecuencia el padre y la madre esperaban ante la habitación, mientras la hermana la arreglaba, y, en cuanto salía, había de contarles exactamente cómo estaba el cuarto, lo que había comido, cuál había sido su actitud, y si se advertía en él alguna mejoría. La madre, es cierto, quiso visitarlo en seguida, y entonces el padre y la hermana la detuvieron con razones que Gregorio escuchó con la mayor atención y aprobó por entero. Pero más adelante fue menester impedírselo por la fuerza, y cuando exclamaba: "¡Dejadme entrar a ver a Gregorio! ¡Pobre hijo mío! ¿No comprendéis que necesito entrar a verlo?", Gregorio pensaba que tal vez conviniera que su madre entrase, claro que no todos los días, pero, por ejemplo, una vez a la semana; ella era mucho más comprensiva que la hermana quien, a pesar de todo su valor, no dejaba de ser, al fin y al cabo, sólo una niña, que quizá sólo por ligereza infantil se había echado sobre los hombros tan penosa carga.

Pasaría poco tiempo antes de que se realizase su deseo de ver a su madre. Durante el día, por consideración a sus padres, no se asomaba a la ventana. Pero bien poco era lo que podía arrastrarse por aquellos dos metros cuadrados de suelo. Descansar en paz no le era fácil por la noche. La comida pronto dejó de producirle la menor alegría, y para distraerse fue tomando la costumbre de trepar zigzagueando por las paredes y el techo. En el techo particularmente, era donde más a gusto se encontraba; aquello no tenía nada que ver con estar echado en el suelo; allí se respiraba mejor, el cuerpo se sentía invadido por una ligera vibración. Pero aconteció que, casi feliz, y al mismo tiempo divertido, se desprendió del techo, con gran sorpresa suya, y se fue a estrellar contra el suelo. Como debe inferirse, su cuerpo había adquirido una resistencia mucho mayor que antes y, pese a la fuerza del golpe, no se lastimó. La hermana advirtió muy pronto el nuevo entretenimiento de Gregorio —tal vez dejase al trepar, aquí y allá, rastros de su baba—, e imaginó al punto facilitarle en todo lo posible los medios para trepar, quitando los muebles que lo impedían y principalmente el baúl y la mesa de escribir. Pero esto no podía llevarlo a cabo ella sola; tampoco se atrevía a pedir ayuda al padre; y en cuanto a la criada, era inútil pretender contar con ella, pues esta mujer, de unos sesenta años, aunque se había mostrado animosa desde la despedida de su antecesora, había suplicado, como favor especial, que le fuese permitido mantener siempre cerrada la puerta de la cocina, y no abrirla sino cuando la llamasen. Por lo tanto, sólo quedaba el recurso de buscar a la madre, y eso siempre que el padre estuviera ausente. La madre acudió dando gritos de júbilo. Pero se quedó muda en la misma puerta. Como es lógico, la hermana se cercioró de que todo estaba en orden, y sólo luego la dejó pasar. Gregorio se había dado prisa en bajar la sábana más de lo habitual, de modo que formara abundantes pliegues. La sábana efectivamente parecía haber sido tirada allí por casualidad. También se guardó esta vez de espiar por debajo; renunció a ver a su madre, gozoso únicamente de que ésta, por fin, hubiese venido.

—Entra, que no se le ve —dijo la hermana, que sin duda conducía a la madre por la mano.

Y Gregorio oyó cómo las dos frágiles mujeres retiraban de su sitio el viejo y pesado baúl, y cómo la hermana, siempre animosa, tomaba sobre sí la mayor parte del trabajo, sin hacer caso de las advertencias de la madre, que temía se fatigase demasiado.

La operación duró bastante; verdad es que, al cabo de un cuarto de hora, la madre dijo que mejor sería dejar el baúl donde estaba, en primer lugar porque era muy pesado y no acabarían antes del regreso del padre y además porque, estando en medio de la habitación, le cortaría el paso a Gregorio, y, en fin, porque no era seguro que le agradara que se retirasen los muebles. A ella le parecía precisamente que debía de ser todo lo contrario. La vista de las paredes desnudas le oprimía el corazón. ¿Por qué no había de sentir Gregorio la misma sensación, ya que estaba habituado a los muebles de su cuarto? ¿Quién dice que no se sentiría como abandonado en la habitación vacía?

—¿Y no parecería entonces —terminó casi en un susurro, como si quisiese evitarle a Gregorio hasta el sonido de su voz, porque estaba segura de que no comprendía las palabras—, no parecería entonces que, al quitar los muebles, renunciábamos a toda esperanza de mejoría, y que lo abandonábamos sin consideración alguna a su suerte? Creo que lo mejor sería dejar el cuarto como estaba, para que Gregorio, al regresar de nuevo entre nosotros, lo encuentre todo en el mismo estado, y pueda olvidar este paréntesis más fácilmente.

Al oír estas palabras de la madre, comprendió Gregorio que la carencia de toda relación humana directa, unida a la monotonía de la existencia que llevaba entre los suyos, había debido trastornar su inteligencia en aquellos dos meses, pues, de otro modo, no podía explicarse que él hubiese deseado ver su habitación vacía. ¿Es que él deseaba de verdad se cambiase su cómoda habitación, confortable y dispuesta con muebles de familia, por un desierto en el cual hubiera podido, es verdad, trepar en todas las direcciones sin el menor impedimento, pero en el cual se hubiera al mismo tiempo olvidado, rápida y completamente, de su origen, su pasada condición humana?

Ya estaba ahora muy cerca de olvidarse de ésta, y únicamente lo había conmovido la voz de la madre, no oída desde hacía tiempo. No, no había que retirar nada; todo tenía que permanecer tal cual; no era posible prescindir de la bienhechora influencia que los muebles ejercían sobre él y, aunque éstos impedían su libre desenvolvimiento, ello, antes que un perjuicio, debía ser considerado como una gran ventaja.

Por desgracia, la hermana no era de esta opinión y como se había acostumbrado verdad, es que no sin motivo, a actuar como perito frente a los padres en todo lo que se refería a Gregorio, le bastó la idea expuesta por la madre para declarar insistentemente que, no sólo debían ser retirados de allí el baúl y la mesa, en los que al principio había pensado, sino incluso todos los demás muebles, a excepción del indispensable sofá. Claro está que a ello no la impulsaban únicamente cierta testarudez infantil, y esa confianza en sí misma, repentina y difícilmente adquirida en los últimos tiempos; también había observado que Gregorio, además de necesitar mucho espacio para arrastrase y trepar, no hacía ningún uso manifiesto de los muebles, y acaso también con aquel entusiasmo propio de las muchachas de su edad, anheloso siempre de una ocasión que le permitiera lucirse, por la cual se dejó llevar secretamente aumentando lo pavoroso de la situación de Gregorio, a fin de poder hacer por él más aún de lo que hasta ahora hacía. Y es que en un cuarto en el cual Gregorio hubiese aparecido completamente solo entre las paredes desnudas, es seguro que no se atrevería a entrar nadie, ningún ser humano que no fuera Greta.

No le fue posible a la madre hacerla desistir de su proyecto, y como en aquel cuarto sentía una gran desazón, no tardó en callarse y ayudar a la hermana, con todas sus fuerzas, a sacar el baúl. Bueno, del cofre, en caso necesario, Gregorio podía prescindir, pero la mesa tenía que quedarse allí. Apenas hubieron abandonado el cuarto las dos mujeres, llevándose el cofre, al que se agarraban gimiendo, sacó Gregorio la cabeza de debajo del sofá para ver el modo de intervenir con la mayor consideración y todas las precauciones posibles. Desgraciadamente, fue la madre la primera en volver, mientras Greta, en la habitación contigua, seguía agarrada al cofre, zarandeándolo de un lado a otro, aunque sin lograr cambiarlo de lugar. La madre no estaba acostumbrada a la vista de Gregorio; podía enfermarse al verlo de pronto; así es que Gregorio, asustado, retrocedió a toda velocidad, hasta el otro extremo del sofá;

pero demasiado tarde para evitar que la sábana que le ocultaba se agitase un poco, lo cual bastó para llamar la atención de la madre. Ésta se detuvo en seco, quedó suspensa, y volvió junto a Greta.

Aunque Gregorio se repetía continuamente que con toda seguridad no había de acontecer nada extraordinario, y que sólo algunos muebles serían cambiados de sitio, no pudo menos que impresionarlo aquel ir y venir de las mujeres, las llamadas que una a otra se dirigían, el chirrido de los muebles en el suelo, en una palabra, aquella confusión que reinaba en torno suyo; y, encogiendo cuanto pudo la cabeza y las piernas, aplastando el vientre contra el suelo, hubo de confesarse, ya sin miramientos de ninguna clase, que no le sería posible soportarlo mucho tiempo. Le vaciaban su cuarto, lo despojaban de cuanto él amaba; ya se habían llevado el baúl en que guardaba la sierra y las demás herramientas; ya movían aquella mesa sólidamente empotrada en el suelo, y en la cual, cuando estudiaba la carrera de comercio, e incluso cuando iba a la escuela, había escrito sus temas... Sí; no tenía ya ni un minuto que perder para enterarse de las buenas intenciones de las dos mujeres, cuya existencia, por lo demás, habían casi olvidado, pues, rendidas por el cansancio, trabajaban en silencio, y sólo se escuchaba el cansino rumor de sus pasos.

De esta manera —en el mismo instante en que las mujeres, en la habitación contigua, se recostaban en la mesa escritorio para tomar aliento— salió de repente de su escondrijo, cambiando hasta cuatro veces la dirección de su marcha. No sabía en verdad qué hacer primero. En esto, le llamó la atención, en la pared ya desnuda, el retrato de la dama envuelta en pieles. Trepó precipitadamente hasta allí y se agarró al cristal, cuyo contacto calmó el ardor de su vientre. Al menos esta estampa que él cubría ahora por completo, no se la quitarían. Y volvió la cabeza hacia la puerta del comedor, para observar la entrada de las dos mujeres.

La verdad es que no se habían concedido mucha tregua. Ya estaban allí de nuevo, rodeando Greta a la madre con el brazo, y casi sosteniéndola.

—Bueno, y ahora, ¿qué nos llevamos? —dijo Greta mirando en derredor.

En esto, sus miradas se cruzaron con las de Gregorio, pegado a la pared. Greta logró dominarse, cierto es que únicamente a causa de la presencia de la madre, y se apoyó sobre ésta, para ocultarle la vista de lo que había alrededor. Luego dijo, aturdida y temblorosa:

—Ven; ¿no prefieres que vayamos un momento al comedor?

A Gregorio, la intención de Greta no le dejaba

lugar a dudas: quería poner a salvo a la madre, y, después, echarlo abajo de la pared. Bueno, ¡pues que intentase hacerlo! Él seguía aferrado a su estampa, y no cedería. Antes prefería saltarle a Greta a la cara.

Pero las palabras de ella sólo habían logrado inquietar a la madre. Ésta se echó a un lado; divisó aquella gigantesca mancha oscura sobre el floreado papel de la pared y, antes de poder darse siquiera cuenta de que aquello era Gregorio, gritó con voz aguda:

—¡Ay, Dios mío! ¡Ay, Dios mío!

Y se desplomó en el sofá, con los brazos extendidos, como si todas sus fuerzas la abandonasen, quedando allí sin movimiento.

—¡Cuidado, Gregorio! —gritó la hermana con el puño en alto y la mirada firme.

Eran estas las primeras palabras que le dirigía directamente después de la metamorfosis. Pasó a la habitación contigua, en busca de algo que dar a la madre para hacerla volver en sí.

Gregorio hubiera querido ayudarla —para salvar la estampa todavía había tiempo—, pero se hallaba pegado al cristal, y hubo de desprenderse de él violentamente. Después de lo cual, se dirigió también a la habitación contigua, cual si le fuese posible, como antaño, dar algún consejo a la hermana. No obstante, debió contentarse con permanecer quieto detrás de ella. Greta, entretanto, revolvía entre diversos frascos; al volverse, se asustó, dejó caer al suelo una botella, que se rompió, y un fragmento hirió a Gregorio en la cara, llenándosela de un líquido corrosivo. Greta, sin detenerse, tomó tantos frascos como pudo llevarse y entró en el cuarto de Gregorio, cerrando la puerta con el pie. Gregorio se encontró, pues, completamente distanciado de la madre, la cual, por su culpa, se hallaba quizás en trance de muerte. Él no podía abrir la puerta si no quería echar de allí a su hermana, cuya presencia, junto a la madre, era necesaria; y, en consecuencia, no le quedaba más remedio que esperar.

Presa de inquietud y remordimiento, comenzó a trepar por todas las paredes, los muebles y por el techo y, finalmente, cuando ya la habitación comenzaba a dar vueltas a su alrededor, se dejó caer con desesperación encima de la mesa.

Así transcurrieron unos instantes. Gregorio yacía extenuado; todo en derredor callaba, lo cual era tal vez buena señal. En esto, llamaron. La criada estaba como siempre encerrada en su cocina, y Greta tuvo que salir a abrir. Era el padre.

—¿Qué es lo que ha ocurrido?

Estas fueron sus primeras palabras. El aspecto de Greta se lo había revelado todo. Greta ocultó su cara en el pecho del padre, y, con voz sorda declaró:

—Madre se ha desmayado, pero ya está mejor. Gregorio se ha escapado.

—Lo esperaba —dijo el padre—. Siempre os lo dije; pero vosotras, las mujeres, nunca queréis hacer caso.

Gregorio comprendió que el padre, al oír las noticias que Greta le daba a boca de jarro, había entendido mal, y se figuraba, sin duda, que él había cometido algún acto de violencia. Necesitaba por lo tanto apaciguar al padre, pero no tenía ni tiempo ni medios para aclararle lo ocurrido. Se precipitó hacia la puerta de su cuarto, aplastándose contra ella, para que el padre, no bien entrase, comprendiese que Gregorio tenía intención de regresar de inmediato a su cuarto, y que no sólo no era necesario empujarlo hacia adentro, sino que bastaba con abrirle la puerta para que desapareciese.

Pero el estado de ánimo del padre no era el más indicado para advertir tales sutilezas.

—¡Ay! —gritó, al entrar, con un tono a un tiempo furioso y triunfante. Gregorio apartó la cabeza de la puerta, y la alzó hacia su padre. Todavía no se había presentado a éste en su nuevo aspecto. Verdad es también que, en los últimos tiempos, ocupado por entero en establecer su nuevo sistema de arrastrarse por doquier, había dejado de preocuparse como antes de lo que sucedía en el resto de la casa; y que, por lo tanto, debía prepararse para encontrar las cosas cambiadas.

Pero, pese a todo, ¿aquel hombre era realmente su padre? ¿Era éste aquel hombre que, antaño, cuando Gregorio se preparaba para emprender un viaje de negocios, permanecía fatigado en la cama? ¿Aquel mismo hombre que, al regresar a casa lo recibía en bata, metido en su sillón, y que por no estar en condiciones de levantarse se contentaba con alzar los brazos en señal de alegría? ¿Aquel mismo que, en los raros paseos dados en común algunos domingos o en las fiestas principales, acortaba su lento paso todavía más, envuelto en su viejo abrigo, apoyándose con sumo cuidado en el bastón, parándose cada vez que quería decir algo, obligando a los demás a formar rueda a su alrededor? Pero no, ahora se lo veía derecho y firme, con un sobrio uniforme azul con botones dorados, como el que usan los ordenanzas de los bancos. Sobre el rígido y alto cuello se esparcía su papada; bajo las cejas pobladas los negros ojos despedían una mirada atenta y fija, y el cabello blanco, desmelenado hasta entonces, aparecía brillante y dividido por una raya primorosa. Tiró sobre el sofá la gorra que ostentaba un monograma dorado —probablemente de algún banco— y atravesó toda la habitación, dirigiéndose con cara torva hacia Gregorio, con las manos en los bolsillos del pantalón y los faldones de su larga levita de uniforme recogidos hacia atrás. Él mismo no sabía lo que iba a hacer; mas levantó los pies a una altura poco común, y Gregorio quedó asombrado de las enormes proporciones de sus suelas. Empero, esta actitud no le enojó pues ya sabía, desde el primer día de su nueva vida, que al padre la mayor severidad le parecía poca con respecto al hijo. Echó pues a correr delante de su progenitor, deteniéndose cuando éste lo hacía y emprendiendo nueva carrera en cuanto lo veía reiniciar un movimiento. Así dieron varias veces la vuelta a la habitación sin llegar a nada decisivo. Es más: sin que esto, debido a las dilatadas pausas, tuviese el aspecto de una persecución. Por lo mismo, Gregorio prefirió no alejarse del suelo; temía que el padre tomase su huida a través de las paredes o del techo como un refinamiento de maldad.

Pero poco tardó en comprender que aquellas carreras no podían durar demasiado, porque mientras su padre daba un paso, él debía efectuar un sinnúmero de movimientos, y su respiración se le hacía agitada. Cierto es que tampoco en su anterior estado podía tener confianza en sus pulmones.

Se tambaleó un poco, intentando concentrar todas sus fuerzas para emprender nuevamente la fuga. Apenas podía tener los ojos abiertos; en su azoramiento, no pensaba en otra salvación posible que la que le proporcionase seguir corriendo, y ya casi se había olvidado de que las paredes estaban completamente libres, a pesar de hallarse atestadas de muebles esmeradamente tallados, que amenazaban por doquier con sus ángulos y sus puntas. En esto, algo diestramente lanzado cayó justo a su lado y rodó ante él; era una manzana, a la que pronto hubo de seguir otra. Gregorio, atemorizado, no se movió; era inútil continuar corriendo, pues el padre había resuelto bombardearlo. Se había llenado los bolsillos con el contenido del frutero que estaba sobre el aparador, y arrojaba una manzana tras otra, aunque sin lograr por el momento dar en el blanco. Las manzanitas rojas rodaban por el piso, como electrizadas, tropezando unas con otras. Una de ellas, lanzada con mayor destreza, rozó la espalda de Gregorio, pero se deslizó por ella sin causarle daño. En cambio la siguiente le asestó un golpe certero, y aunque intentó huir, como si aquel intolerable dolor pudiese desvanecerse al cambiar de sitio, le pareció que le clavaban en donde estaba, y quedó allí despatarrado, perdiendo la noción de cuanto sucedía a su alrededor. Su última mirada lo enteró aun de cómo la puerta de su habitación se abría con violencia, y pudo ver a la madre corriendo en camisa —pues Greta la había desnudado para hacerla volver de su desmayo— delante de la hermana que gritaba; luego vio a la madre precipitándose hacia el padre, perdiendo en el camino una tras otra sus faldas desanudadas, y por fin, después de tropezar con éstas, llegar hasta donde el padre estaba y abrazarse estrechamente a él… Y Gregorio, ya con la vista nublada, sintió por fin cómo su madre le rogaba que perdonase la vida al hijo.

III

Aquella herida tan grave, de la cual tardó más de un mes en curar —nadie se atrevió a quitarle la manzana, que así quedó empotrada en su carne, como visible testimonio de lo ocurrido—, pareció recordar, incluso al padre, que Gregorio, pese a lo triste y repulsivo de su forma actual, era un miembro de la familia, a quien no se debía tratar como a un enemigo sino, por el contrario, con todos los respetos, y que era un elemental deber de familia sobreponerse a la repugnancia y resignarse. Resignarse y nada más.

Gregorio, por su parte, aun cuando a causa de su herida había perdido, acaso para siempre, el libre juego de sus movimientos; aun cuando ahora, cual un anciano impedido, necesitaba varios e interminables minutos para cruzar su habitación —trepar hacia lo alto, ya ni pensarlo—, tuvo en aquel empeoramiento de su estado una compensación que le pareció suficiente: a la tarde, la puerta del comedor, en la cual tenía ya fija la mirada desde una o dos horas antes, se abría, y él, echado en su habitación a oscuras e invisible para los otros, podía contemplar a toda la familia alrededor de la mesa iluminada y escuchar las conversaciones, como quien dice, con el consentimiento general; o sea, ya de un modo muy distinto. Claro está que las tales conversaciones no eran, ni con mucho, aquellas charlas animadas de otros tiempos, que Gregorio añoraba en los reducidos aposentos de los hoteluchos, y en las que pensaba con ardiente afán al arrojarse fatigado sobre la húmeda ropa de la cama extraña. Ahora, la mayor parte de las veces, la velada transcurría monótona y triste. Poco después de cenar, el padre se dormía en su sillón y la madre y la hermana quedaban en silencio. La madre inclinada junto a la luz, cosía ropa blanda fina para una tienda, y la hermana, que se había colocado de vendedora, estudiaba por las noches dactilografía y francés, a fin de lograr quizá con el tiempo un puesto mejor que el actual. De cuando en cuando, el padre despertaba, y como si no se diese cuenta de haber dormido, le decía a la madre:

—¡Cuánto coses hoy también! —Y se volvía a dormir, mientras la madre y la hermana, rendidas de cansancio, cambiaban una sonrisa.

El padre no consentía en despojarse, aun en casa, de su nuevo uniforme de ordenanza. Y, mientras la bata, ya inútil, colgaba de la percha, dormitaba perfectamente uniformado, como si quisiese hallarse siempre dispuesto a prestar servicio, o esperase oír hasta en su casa la voz de alguno de sus jefes. Con lo cual el uniforme, que ya al principio no era nuevo, perdió rápidamente su esplendor, a pesar del cuidado de la madre y la hermana. Gregorio, con frecuencia, se pasaba horas con la mirada fija en ese traje lustroso, lleno de manchas, pero con los botones dorados todavía brillantes, dentro del cual el viejo dormitaba incómodo pero seguro.

Al dar las diez, la madre intentaba despertarlo exhortándolo dulcemente a marcharse a la cama, queriendo convencerle de que aquello no era dormir de veras, cosa que él tanto necesitaba, pues ya a las seis había de comenzar su servicio. Pero el padre, con la obstinación que se había apoderado de él desde que era ordenanza, insistía en querer permanecer más tiempo a la mesa, no obstante dormirse allí invariablemente. Pese a todos los razonamientos de la madre y la hermana, él seguía en el sillón con los ojos cerrados, dando lentas cabezadas cuarto de hora tras hora, y no se levantaba. La madre lo sacudía de la manga deslizándole en el oído palabras cariñosas; la hermana abandonaba su tarea para ayudarla. Pero de nada servía esto, pues el padre se hundía más hondo en su sillón, y no abría los ojos hasta que las dos mujeres lo asían por debajo de los brazos. Entonces miraba a una y a otra, y solía exclamar:

—¡Sí que es una vida! ¡Este es el sosiego de mis últimos años!

Y penosamente, como si la suya fuese la carga más pesada, se ponía en pie, apoyándose en la madre y la hermana, se dejaba acompañar de esta manera hasta la puerta, les indicaba allí con un gesto que ya no las necesitaba, y seguía solo su camino, mientras la madre arrojaba rápidamente sus útiles de costura y la hermana sus plumas, para correr tras él y continuar ayudándole.

¿Quién, en aquella familia cansada y desvanecida por el trabajo cotidiano, hubiera podido dedicar a Gregorio algún tiempo más que el estrictamente necesario? Las costumbres de la casa se hicieron más sórdidas. Fue despedida la criada, sustituyéndola en los trabajos más pesados una sirvienta, una especie de gigante huesudo, con un nimbo de cabellos blancos en torno a la cabeza, que venía una hora por la mañana y otra hora por la tarde, siendo la madre quien hubo de sumar, a su ya nada liviana labor de costura, todos los demás quehaceres. Hubieron incluso de venderse varias alhajas que poseía

la familia y que en otros tiempos habían lucido go-
zosas la madre y la hermana en fiestas y reuniones.
Así lo averiguó Gregorio una noche, por la conversación acerca del resultado de la venta. Pero el
mayor motivo de lamentación consistía siempre en
la imposibilidad de dejar aquel piso, pues no había
modo alguno de transportar a Gregorio. Pero bien
comprendía éste que él no era el verdadero impedimento para la mudanza, ya que se lo podía haber
recluido fácilmente en un cajón, con tal que tuviese un par de agujeros por donde respirar. No, lo que
detenía principalmente a la familia en aquel trance era la desesperación que le infundía el tener que
concretar la idea de que había sido azotada por una
desgracia, inaudita hasta entonces en todo el círculo de sus parientes y conocidos.

Hubieron de apurar hasta la hez el cáliz que el
mundo impone a los desventurados: el padre tenía
que ir a buscar el desayuno del humilde empleado bancario; la madre, sacrificarse por ropas aje-
nas; la hermana, correr de acá para allá detrás del
mostrador, conforme lo exigían los clientes. Pero
las energías familiares se agotaban. Gregorio sentía
renovarse el dolor de la herida de su espalda, cuando la madre y Greta, una vez acostado el padre,
volvían al comedor, y abandonaban el trabajo para
sentarse una junto a la otra casi mejilla con meji-

lla. La madre señalaba hacia la habitación de Gregorio y decía:

—Greta, cierra la puerta.

Y Gregorio de nuevo se hallaba sumido en la oscuridad mientras, en la habitación contigua, las mujeres confundían sus lágrimas, o se quedaban mirando fijamente la mesa con los ojos secos.

Las noches y los días de Gregorio se deslizaban sin que el sueño tuviese apenas parte de ellos. A veces se le ocurría pensar que iba a abrirse la puerta de su cuarto, y que él iba a encargarse de nuevo, como antes, de los asuntos de la familia. Por su mente volvieron a cruzar, tras largo tiempo, el jefe y el gerente, el dependiente y el aprendiz, aquel ordenanza tan bruto, dos o tres amigos que tenía en otros comercios, una camarera de una fonda provinciana, y un recuerdo amado y pasajero: el de una cajera de una sombrerería, a quien había formalmente pretendido, pero sin demasiada convicción… Todas estas personas se le aparecían confundidas con otras hacía tiempo olvidadas; ninguna podía prestarle ayuda, ni a él ni a los suyos. Eran todas inasequibles, y se sentía aliviado cuando lograba desechar su recuerdo. Y, después, perdía también el humor de preocuparse por su familia, y sólo sentía hacia ella la irritación producida por la poca atención que se le dispensaba. No se le ocurría pensar en nada que le gustara; pero hacía planes para llegar hasta la despensa y apoderarse, aun sin hambre, de lo que le pertenecía por derecho. La hermana ya no se preocupaba por descubrir lo que le gustase más; antes de ir a su trabajo, por la mañana y por la tarde, empujaba con el pie cualquier comida en el interior del cuarto, y luego, al regresar, sin fijarse siquiera si Gregorio había apenas probado la comida —lo cual era lo más frecuente— o si ni siquiera la había tocado, recogía los restos de un escobazo. El arreglo de la habitación, que siempre tenía lugar de noche, no podía asimismo ser más superficial. Las paredes estaban cubiertas de suciedad, y el polvo y la basura se amontonaban en los rincones.

En los primeros tiempos, al entrar la hermana, Gregorio se situaba precisamente en el rincón en que la porquería resultaba más patente. Pero ahora, podía haber permanecido allí semanas enteras sin que por eso se hubiese aplicado más, pues veía la porquería tan bien como él, pero estaba por lo visto decidida a no hacer nada con ella. Con una susceptibilidad nueva en Greta, pero que se había extendido a toda la familia, no admitía que ninguna otra persona interviniese en el arreglo de la habitación. Un día, la madre quiso limpiar a fondo el cuarto de Gregorio, tarea que sólo pudo llevar a cabo con varios cubos de agua —y verdad es que la humedad le hizo daño a Gregorio, que yacía amargado e inmóvil debajo del sofá—, más el castigo no se hizo esperar; apenas hubo advertido la hermana, al regresar por la tarde, el cambio operado en la habitación, se sintió ofendida en lo más íntimo de su ser, corrió hacia el comedor, y, sin fijarse en la suplicante actitud de su madre, estalló en una crisis de llanto que estremeció a los padres por resultarles incomprensible. Por fin ambos se tranquilizaron; el padre, a la derecha de la madre, le reprochaba no haber cedido por entero a la hermana el cuidado de la habitación de su hijo; la hermana, a la izquierda, aseguraba a gritos que ya no le sería posible encargarse de aquella limpieza. La madre quería llevarse a la alcoba al padre que no podía contener su nerviosismo; la hermana, sacudida por el llanto, daba puñetazos en la mesa con sus manitas; y Gregorio silbaba de odio, porque ninguno se había acordado de cerrar la puerta y de ahorrarle el tormento de aquel espectáculo.

Pero si la hermana, extenuada por el trabajo, se hallaba ya cansada de cuidar a Gregorio como antes, no tenía por qué reemplazarla la madre, ni Gregorio tenía por qué sentirse abandonado; ahí estaba la sirvienta. Esta viuda anciana, a quien su huesuda constitución debía haber permitido soportar las mayores desgracias en el curso de su dilatada existencia, no sentía hacia Gregorio ninguna repulsión propiamente dicha. Sin que ello pudiese achacar-se a un afán de curiosidad, abrió un día la puerta del cuarto y, a la vista de éste, que en su sorpresa, aunque nadie le perseguía, comenzó a correr de un lado para otro, permaneció imperturbable, con las manos cruzadas sobre el abdomen.

Desde entonces, nunca se olvidaba de entreabrir furtivamente la puerta, para contemplar a Gregorio. Al principio, lo llamaba con palabras que sin duda creía cariñosas, como:

—¡Ven aquí, bicharraco! ¡Vaya con el bicho este!

Gregorio a estas llamadas no sólo no contestaba, sino que seguía sin moverse de su sitio, como si la puerta no se hubiese abierto. Pensaba que más hubiera valido que se le ordenase a la sirvienta limpiar diariamente su cuarto, en lugar de aparecer para importunarlo a su antojo, sin provecho alguno.

Una mañana temprano —mientras la lluvia, heraldo de la próxima primavera, golpeaba con furia los cristales— la mujer comenzó de nuevo sus manejos, y Gregorio se irritó tanto que se volvió contra ella, lenta y débilmente, es cierto, pero dispuesto a atacar. Ella, en vez de asustarse, levantó simplemente en alto una silla que estaba junto a la puerta, se quedó en esa actitud, con la boca abierta de par en par, demostrando a las claras su propósi-to de no cerrarla hasta después de haber descargado sobre la espalda de Gregorio la silla que tenía en la mano.

—¿Conque tenemos miedo? —preguntó al ver que Gregorio retrocedía. Y, tranquilamente, volvió a colocar la silla en el rincón.

Gregorio casi no comía. Al pasar junto a los alimentos que tenía dispuestos, tomaba algún bocado a modo de muestra, lo guardaba en la boca durante horas, y casi siempre volvía a escupirlo. Al principio, pensó que su desgana era efecto de la melancolía en que lo suplía el estado de su habitación; pero se habituó muy pronto al nuevo aspecto de ésta. Habían ido tomando la costumbre de colocar allí las cosas que estorbaban en otra parte, las cuales eran muchas, pues uno de los tres cuartos de la casa había sido alquilado a tres personas. Esos tres señores formales —los tres usaban barba, según comprobó Gregorio cierta vez por el ojo de la cerradura— cuidaban que reinase un orden escrupuloso, no sólo en su propia habitación, sino en el resto de la casa, ya que vivían en ella, especialmente en la cocina. Cosas inútiles, y mucho menos objetos mugrientos, les resultaban insoportables.

Además, habían traído consigo buena parte de su mobiliario, lo cual hacía innecesarias varias cosas imposibles de vender, pero que tampoco se querían tirar. Y todas estas cosas iban a parar al cuarto de

Gregorio, de igual modo que el tacho de las cenizas y el cajón de la basura. Aquello que de momento no había de ser utilizado, la sirvienta, que en esto se daba mucha prisa, lo arrojaba al cuarto de Gregorio, quien, por suerte, la mayoría de las veces sólo lograba divisar el objeto en cuestión y la mano que lo esgrimía. Quizás ella tuviese el propósito de volver en busca de aquellas cosas cuando tuviese tiempo y ocasión, o de tirarlas fuera todas de una vez, pero el hecho es que permanecían allí donde habían sido arrojadas en un principio. A menos que Gregorio se revolviese contra el trasto y lo pusiese en movimiento, impulsado a ello primero porque éste no le dejaba ya sitio libre para arrastrarse y luego con verdadero afán, aunque después de tales paseos quedaba horriblemente triste y fatigado, sin ganas de moverse durante horas enteras.

Los inquilinos, algunos días, cenaban en casa, en el comedor común, con lo cual la puerta que daba a esta habitación permanecía también cerrada; pero esto a Gregorio no le importaba demasiado: incluso algunas noches en que la puerta estaba abierta, no había aprovechado esta circunstancia, sino que se había retirado, sin que su familia se diera cuenta, al rincón más oscuro de su cuarto.

Pero un día sucedió que la sirvienta dejó algo entornada la puerta que daba al comedor, y ésta permaneció igual cuando los inquilinos entraron por la noche y encendieron la luz. Se sentaron a la mesa, en los sitios antaño ocupados por el padre, la madre y Gregorio, desdoblaron las servilletas, y empuñaron cuchillo y tenedor. Apareció en la puerta la madre con una fuente de carne, seguida de la hermana, que traía una fuente con una pila de patatas.

De la comida se elevaba una nube de vapor. Los inquilinos se doblaron sobre las fuentes colocadas ante ellos, como si quisiesen probarlas antes de servirse; en efecto, el que se hallaba sentado en medio, y parecía el más autorizado de los tres, cortó un pedazo de carne en la fuente misma, sin duda para comprobar que estaba bastante tierna, y que no era necesario devolverla a la cocina. Exteriorizó su satisfacción, y la madre y la hermana, que habían observado con nerviosismo la operación, respiraron y sonrieron.

Entretanto, la familia comía en la cocina. A pesar de lo cual el padre, antes de dirigirse a ésta, entraba en el comedor, hacía una reverencia general y, gorra en mano, daba la vuelta a la mesa. Los inquilinos se ponían de pie y murmuraban algo para sus adentros. Después, ya solos, comían.

A Gregorio le parecía raro percibir siempre, entre los diversos ruidos de la comida, el que hacían los dientes al masticar, como si quisiesen darle a entender que, para comer, se necesitaban dientes, y que la mejor mandíbula, si carecía de ellos, de nada podía servir. "Pues sí que tengo apetito —se decía Gregorio con dolor—. Pero no son éstas las cosas que me atraen… ¡Cómo comen estos inquilinos! ¡Y yo mientras tanto muriéndome!"

Aquella misma noche —Gregorio no recordaba haber oído el violín en todo aquel tiempo— sintió tocar en la cocina. Ya habían acabado los inquilinos su cena. Él que estaba en el medio había sacado un periódico y dado una hoja a cada uno de los otros dos, y los tres leían y fumaban recostados hacia atrás. Al sentir el violín, quedó fija su atención en la música; se levantaron y, de puntillas, fueron hasta la puerta del vestíbulo, junto a la cual permanecieron inmóviles, apretados uno contra otro. Sin duda se los oyó desde la cocina, pues el padre preguntó:

—¿Quizás a los señores no les gusta la música? —Y añadió—: En ese caso, puede cesar de inmediato.

—Al contrario —aseguró el señor de más autoridad—. ¿No querría entrar la señorita y tocar aquí? Sería muchísimo más cómodo y agradable.

—¡Claro, no faltaba más! —respondió el padre, como si fuese él mismo el violinista.

Los inquilinos tornaron al interior del comedor y esperaron. Muy pronto llegó el padre con el atril, luego la madre con los papeles de música, y por fin la hermana con el violín, quien lo dispuso todo tranquilamente para comenzar a tocar. Mientras, los padres, que nunca habían tenido habitaciones alquiladas, y que por eso mismo extremaban la cortesía hacia sus inquilinos, no se atrevían a sentarse en sus propios sillones. El padre permaneció apoyado en la puerta, con la mano derecha puesta entre dos botones de su librea cerrada; pero a la madre uno de sus inquilinos le ofreció una silla, y se sentó en un rincón apartado; no movió el asiento del lugar en que aquel hombre lo había colocado casualmente.

Comenzó a tocar la hermana, y el padre y la madre, cada uno desde su lugar, seguían todos los movimientos de sus manos. Gregorio, atraído por la música, se atrevió a avanzar un poco, y se halló con la cabeza en el comedor. Casi no le sorprendía la escasa consideración que guardaba a los demás en los últimos tiempos, y, sin embargo, antes esa consideración había sido precisamente su mayor orgullo. Pero, ahora más que nunca, tenía él motivo para ocultarse, pues, debido al estado de suciedad de su habitación, cualquier movimiento que hacía levantaba olas de polvo en torno suyo, y él mismo estaba cubierto de polvo y arrastraba consigo, en la espalda y en los costados, hilachas, pelos y restos de comida. Su indiferencia hacia todos era mayor que cuando antaño, echado sobre la espalda, podía, varias veces al día, restregarse contra la alfombra. Y, sin embargo, a pesar del estado en que se hallaba, no sentía el menor rubor en avanzar por el inmaculado suelo del comedor.

Verdad es que nadie se ocupaba de él. La familia se hallaba completamente absorta por el violín, y los inquilinos, que primero se habían colocado, con las manos en los bolsillos del pantalón, junto al atril, demasiado cerca de éste, con lo que todos podían ir leyendo las notas y seguramente molestaban a la hermana, no tardaron en retirarse hacia la ventana, donde se quedaban susurrando con las cabezas inclinadas, observados por el padre a quien dicha actitud le preocupaba visiblemente. Es que aquello parecía indicar a las claras que su ilusión de oír música, selecta o frívola, había sido defraudada, que ya empezaban a cansarse y que sólo por cortesía consentían que siguiesen molestándoles y turbando su tranquilidad. Especialmente el modo que tenían de echar por la boca o la nariz el humo de sus cigarros evidenciaba nerviosidad.

Sin embargo, ¡qué bien tocaba su hermana! Con el rostro ladeado seguía atenta y tristemente leyendo en el pentagrama. Gregorio se arrastró otro poco hacia adelante, y mantuvo la cabeza pegada al suelo para encontrar con su mirada la mirada de la hermana.

¿Sería una fiera, pues se deja impresionar tanto por la música?

Le parecía como si se abriese ante él el camino que había de conducirlo hasta un alimento desconocido y anhelado con ardor. Sí, estaba decidido a llegar hasta su hermana, a tirarle de la falda, y a hacerle comprender de este modo que había de venir a su cuarto con el violín, porque nadie valoraba aquí su música como él. En adelante, ya no la dejaría salir de aquel cuarto, al menos en tanto él viviese. Por primera vez había de servirle de algo aquella su espantosa forma.

Quería poder estar a un tiempo en todas las puertas, pronto a saltar sobre todos los que pretendiesen atacarle. Pero, era preciso que la hermana permaneciese junto a él, no a la fuerza, sino voluntariamente; era necesario que se sentase a su lado en el sofá, que se inclinase hacia él, y entonces le confesaría al oído que había tenido la intención de mandarla al conservatorio, y que, si no hubiera ocurrido la desgracia, durante las pasadas Navidades —porque las Navidades ya habían pasado, ¿no?—, se lo hubiera declarado a todos, sin tener en cuenta ninguna objeción en contra. Y, al oír esta explicación, la hermana, conmovida, rompería a llorar, y Gregorio se alzaría hasta sus hombros, y la besaría en el cuello, que, desde que iba a la tienda, llevaba descubierto.

—Señor Samsa —dijo de pronto al padre el señor que parecía ser el más autorizado. Luego, sin desperdiciar ninguna palabra más, mostró al padre extendiendo el índice en aquella dirección, a Gregorio que iba avanzando lentamente. El violín enmudeció al instante y el señor sonrió a sus amigos, sacudiendo la cabeza, y volvió a mirar a Gregorio.

Al padre le pareció lo más urgente, en lugar de arrojar de allí a Gregorio, tranquilizar a los inquilinos, los cuales no se mostraban ni mucho menos intranquilos, y parecían divertirse más con la aparición de Gregorio que con el violín. Corrió hacia ellos y, extendiendo los brazos, quiso empujarles hacia su habitación, a la vez que les ocultaba con su cuerpo la vista de Gregorio. Ellos entonces no disimularon su enojo, aunque no era posible saber si éste obedecía a la actitud del padre, o al enterarse en aquel momento que habían convivido, sin sospecharlo, con un ser de aquella índole.

Pidieron explicaciones al padre, alzaron a su vez los brazos al cielo, se estiraron la barba con gesto inquieto, y no retrocedieron sino muy lentamente hasta su habitación.

Mientras tanto, la hermana había conseguido sobreponerse a la impresión que le causó al principio verse bruscamente interrumpida. Permaneció con los brazos caídos, sujetando con indolencia el arco y el violín, y con la mirada fija en la partitura, pronto estalló: puso el instrumento en los brazos de la madre, que seguía sentada en su butaca, medio ahogada por el dificultoso trabajo de sus pulmones, y se precipitó al cuarto contiguo, al que los inquilinos, empujados por el padre, iban acercándose ya más rápidamente. Con gran destreza, apartó e hizo volar por lo alto mantas y almohadas; y aun antes de que los señores penetrasen en su habitación, ya había terminado de arreglarles las camas y se había escabullido.

El padre se hallaba a tal punto dominado por su obstinación, que olvidaba hasta el más elemental respeto debido a los inquilinos, y los seguía empujando nerviosamente. Hasta que, ya en el umbral, el que parecía ser el más autorizado de los tres dio una patada en el suelo y, con voz tonante, lo detuvo con las siguientes palabras:

—Participo a ustedes —y alzaba la mano al decir esto, y buscaba con la mirada también a la madre y a la hermana—, participo a ustedes que, en vista de las repugnantes circunstancias que ocurren en esta casa —y al llegar aquí escupió con fuerza en el suelo—, en este momento me despido. Claro está que no he de pagar un solo centavo por los días que aquí he vivido, antes al contrario, meditaré si he de exigir de usted alguna indemnización, la cual, no lo dude, sería muy fácil de justificar.

Calló, y miró a su alrededor como esperando algo. Y efectivamente, sus dos amigos corroboraron al momento lo declarado, agregando por su cuenta:

—Nosotros también nos vamos enseguida.

Después de eso, el que llevaba la voz cantante tomó el picaporte y cerró la puerta de un golpe. El padre, con paso vacilante, tanteando con las manos, se dirigió hacia su sillón, y se dejó caer en él. Parecía dispuesto a echar su acostumbrado sueñito de todas las noches, pero la profunda inclinación de su cabeza, caída como sin peso, demostraba que no dormía.

Durante todo este tiempo, Gregorio había permanecido callado, inmóvil en el mismo sitio en que le habían sorprendido los inquilinos. El desencanto causado por el fracaso de su plan, y tal vez también la debilidad producida por el hambre, le hacía imposible el menor movimiento. No sin razón, temía ver cernirse sobre sí una tormenta general dentro de muy poco, y esperaba. Ni siquiera se sobresaltó con el ruido del violín, escurrido del regazo de la madre bajo el impulso del temblor de sus dedos.

—Queridos padres —dijo la hermana, dando, a modo de introducción, un fuerte puñetazo sobre la mesa—, esto no puede continuar así. Si vosotros no lo comprendéis, yo me doy cuenta. Ante este monstruo, no quiero ni siquiera pronunciar el nombre de mi hermano y, por lo tanto, sólo diré esto: es forzoso intentar librarnos de él. Hemos hecho cuanto era humanamente posible para cuidarle y tolerarle, y no creo que nadie pueda por lo tanto hacernos el más leve reproche.

—Tienes razón —dijo el padre.

La madre, que todavía no podía respirar con libertad, empezó a toser sordamente, con la mano en el pecho y los ojos extraviados.

La hermana se precipitó hacia ella y le sostuvo la cabeza.

Al padre, lo dicho por la hermana lo indujo a concretar más su pensamiento. Se había incorporado en el sillón, jugaba con su gorra de ordenanza por entre los platos, que aún quedaban sobre la mesa de la comida de los inquilinos, y, de vez en cuando, dirigía una mirada al impertérrito Gregorio.

—Es preciso que intentemos deshacernos de él —repitió por último la hermana al padre, pues la madre con su tos no podía oír nada—. Esto acabará matándonos a los dos, lo estoy viendo. Cuando hay que trabajar lo que nosotros trabajamos, no es posible sufrir, además, en casa, estos tormentos. Yo tampoco puedo más.

Y rompió a llorar con tal fuerza que sus lágrimas

cayeron sobre el rostro de la madre, quien se las limpió mecánicamente con la mano.

—Hija mía —dijo entonces el padre con compasión y sorprendente lucidez—. ¡Qué le vamos a hacer!

Pero la hermana se limitó a encogerse de hombros, como para demostrar la perplejidad que se había apoderado de ella mientras lloraba, y que hacía contraste con su anterior decisión.

—Si siquiera él nos comprendiese —dijo el padre en tono casi interrogativo. Pero la hermana, sin cesar de llorar, agitó enérgicamente la mano, indicando con ello que no había que pensar en eso—. Si siquiera nos comprendiese —insistió el padre cerrando los ojos, como para significar que también él se hallaba convencido de lo imposible de esta suposición—, tal vez pudiésemos llegar a un trato con él. Pero, en estas circunstancias…

—Es necesario que se marche —declaró su hermana—. Este es el único modo, padre. Basta con que aceptes abandonar la idea de que se trata de Gregorio. El haberlo creído durante tanto tiempo es en realidad el origen de nuestra desgracia. ¿Cómo puede ser eso Gregorio? Si lo fuese, ya hace tiempo que hubiera comprendido que no es posible que unos seres humanos vivan en comunidad con semejante bicho. Y a él mismo se le habría ocurrido marcharse. Habríamos perdido al hermano, pero podríamos seguir viviendo, y su memoria perduraría eternamente entre nosotros. Mientras que así, este animal nos persigue, echa a los inquilinos, y muestra claramente que quiere apoderarse de toda la casa y dejarnos en la calle. ¡Mira padre —comenzó a gritar de repente—, ya comienza de nuevo!

Y, con un terror que a Gregorio le pareció incomprensible, la hermana abandonó incluso a la madre, se apartó del sillón, como si prefiriese sacrificar a la madre antes que permanecer en las proximidades de Gregorio, y corrió a refugiarse detrás del padre, el cual, nervioso a su vez por esta actitud suya, se puso también en pie, extendiendo los brazos ante la hermana en ademán protector.

Pero la cosa es que a Gregorio no se le había ocurrido en absoluto querer asustar a nadie, ni mucho menos a su hermana. Lo único que había hecho era empezar a dar la vuelta, para volver a su habitación, y esto fue sin duda lo que estremeció a los demás, pues a causa de su estado doliente, para realizar aquel difícil movimiento tenía que ayudarse con la cabeza, levantándola y volviendo a apoyarla en el suelo repetidas veces. Se detuvo y miró a su alrededor. Parecía haber sido adivinada su buena intención: aquello no fue más que una alarma pasajera. Ahora todos lo miraban pensativos y tristes.

La madre estaba en su silla, con las piernas extendidas y juntas, los ojos casi cerrándosele de fatiga. El padre y la hermana se hallaban sentados uno al lado del otro, y su hermana rodeaba con su brazo el cuello paterno.

"Bueno, tal vez ya pueda moverme", se dijo Gregorio, comenzando de nuevo su penoso esfuerzo. No podía contener sus resoplidos, y de vez en cuando, tenía que pararse a descansar. Nadie lo corría; se lo dejaba en completa libertad. Cuando hubo dado la vuelta, inició en seguida la marcha atrás en línea recta. Le asombró la gran distancia que lo separaba de su habitación; no acertaba a comprender cómo, en su actual estado de debilidad, había podido, momentos antes, hacer ese mismo camino casi sin notarlo. Con la única preocupación de arrastrarse lo más rápidamente posible, apenas si reparó en que ningún miembro de la familia lo azuzaba con palabras o gritos. Al llegar al umbral, volvió la cabeza, aunque sólo a medias, porque sentía cierta rigidez en el cuello, y pudo ver que nada había cambiado a su espalda. Solamente su hermana se había puesto de pie. Y su última mirada fue para la madre, que al fin se había quedado dormida.

Apenas entró en su cuarto oyó cerrarse la puerta rápidamente, y echar el pestillo y la llave. El brusco ruido que esto produjo lo asustó tanto, que se le doblaron las patas. La hermana era la que tenía más apuro. Había permanecido de pie, como esperando el instante de precipitarse a encerrarlo. Gregorio no la había oído acercarse.

—¡Por fin! —exclamó ella dirigiéndose a los padres, al tiempo que hacía girar la llave en la cerradura.

"¿Y ahora?", se preguntó Gregorio, mirando alrededor suyo en la oscuridad.

Muy pronto hubo de convencerse de que le era en absoluto imposible moverse. Esto no le asombró, no le parecía natural haber podido avanzar como hasta entonces, con aquellas patitas tan delgadas. Por lo demás, se sentía relativamente a gusto. Cierto es que todo el cuerpo le dolía; pero le parecía como si estos dolores se fuesen debilitando más y más, y pensaba que por último acabarían. Apenas si notaba ya la manzana podrida que tenía en la espalda, y la inflamación cubierta de blanco por el polvo. Pensaba con emoción y cariño en los suyos. Más aún que su hermana, estaba convencido de que tenía que desaparecer.

Y en tal estado de apacible meditación e insensibilidad, permaneció hasta que el reloj de la iglesia dio las tres de la madrugada. Todavía pudo vivir aquel comienzo del alba que despuntaba detrás de los cristales. Luego, a su pesar, su cabeza se hundió por completo, y su hocico exhaló débilmente el último aliento.

A la mañana siguiente, cuando entró la sirvienta —daba tales portazos que, en cuanto llegaba, ya era imposible descansar en la cama, a pesar de las muchas ocasiones en que se le había rogado que tuviera otras maneras— para hacerle a Gregorio la breve visita de costumbre, no encontró en él, al principio, nada de particular. Imaginó que se quedaba inmóvil deliberadamente, para hacerse el ofendido, pues lo consideraba capaz del más completo discernimiento. Casualmente, llevaba en la mano el deshollinador, y quiso hacerle cosquillas a Gregorio con él desde la puerta.

Viendo que con esto tampoco lograba nada, se enojó a su vez y empezó a pincharlo, y tan sólo después que lo hubo empujado sin encontrar ninguna resistencia se fijó en él, y, percatándose al punto de lo sucedido, abrió desmesuradamente los ojos y dejó escapar un silbido de sorpresa. No se detuvo mucho tiempo, sino que, abriendo bruscamente la puerta del cuarto, gritó en la oscuridad:

—¡Miren ustedes, ha reventado! ¡Ahí lo tienen, bien reventado!

El señor y la señora Samsa se incorporaron en el lecho matrimonial. Les costó gran trabajo sobreponerse al susto, y tardaron bastante en comprender lo que se les anunciaba. Una vez comprendido eso, bajaron de la cama, cada uno por su lado, con la mayor rapidez posible. El señor Samsa se echó la colcha sobre los hombros; la señora Samsa iba sólo cubierta con su camisón de dormir, y así penetraron en la habitación de Gregorio.

Mientras, se había abierto también la puerta del comedor, donde dormía Greta desde la llegada de los huéspedes. Greta estaba vestida, como si no hubiese dormido en toda la noche, cosa que parecía confirmar la palidez de su rostro.

—¿Muerto? —dijo la señora Samsa, mirando interrogativamente a la sirvienta, aunque podía comprobar todo por sí misma.

—Eso es lo que digo —contestó la asistenta, empujando todavía un buen trecho con la escoba el cadáver de Gregorio, como para probar la veracidad de sus palabras.

La señora Samsa hizo un movimiento como para detenerla, pero no lo concretó.

—Bueno —dijo el señor Samsa—, ahora podemos dar gracias a Dios.

Se santiguó, y las tres mujeres lo imitaron. Greta no apartaba la vista del cadáver.

—Mirad qué delgado estaba —dijo—. Verdad es que hacía ya tiempo que no probaba bocado.

Así como entraban las comidas, así se las volvían a llevar.

El cuerpo de Gregorio aparecía, en efecto, completamente plano y seco. De esto sólo se daban cuenta ahora, porque ya no lo sostenían sus patitas, y nadie apartaba la mirada de él.

—Greta, ven un ratito con nosotros —dijo la señora Samsa, sonriendo melancólicamente.

Y ella, sin dejar de mirar hacia el cadáver, siguió a sus padres a la alcoba.

La sirvienta cerró la puerta y abrió la ventana de par en par. Era todavía muy temprano, pero el aire tenía ya cierta tibieza; estaban a fines de marzo.

Los tres inquilinos salieron de su habitación y buscaron con la vista su desayuno. Los habían olvidado.

—¿Y el desayuno? —le preguntó a la sirvienta con mal humor el señor que parecía dirigir a los tres.

Pero la sirvienta, poniéndose el dedo índice ante la boca, los invitó con señas enérgicas a entrar en la habitación de Gregorio.

Entraron, pues, y allí estuvieron, en el cuarto inundado de claridad, en torno al cadáver, con expresión desdeñosa y las manos hundidas en los bolsillos de sus algo raídos chaquetones.

Entonces se abrió la puerta de la alcoba, y apareció el señor Samsa, enfundado en su librea, llevando de un brazo a su mujer y del otro a su hija. Todos tenían aspecto de haber llorado algo, y Greta ocultaba de vez en cuando el rostro contra el brazo del padre.

—Abandonen ustedes inmediatamente mi casa —dijo el señor Samsa, señalando la puerta, pero sin soltar a las mujeres.

—¿Qué pretende usted dar a entender con esto? —preguntó el portavoz de los señores, algo desconcertado, y sonriendo con timidez.

Los otros dos tenían las manos cruzadas a la espalda, y se las frotaban sin cesar una contra otra, como si esperasen gozosos una pelea, cuyo resultado habría de serles favorable.

—Pretendo dar a entender exactamente lo que digo —contestó el señor Samsa, avanzando con sus dos acompañantes en una sola línea hacia el inquilino.

Éste permaneció un rato tranquilo y callado, con la mirada fija en el suelo, como si sus pensamientos se fuesen organizando en otro orden en su cabeza.

—En ese caso, nos vamos —dijo por fin, mirando al señor Samsa, como si una repentina fuerza lo impulsase a pedirle autorización incluso para esto.

El aludido se contentó con abrir mucho los ojos e inclinar varias veces afirmativamente la cabeza.

Luego el inquilino se dirigió con grandes pasos al vestíbulo. Ya hacía un ratito que sus compañeros escuchaban, sin frotarse las manos, y ahora salieron pisándole los talones y dando saltitos, como si temiesen que el señor Samsa llegase antes que ellos y se interpusiese entre ellos y su guía.

Una vez en el vestíbulo, todos tomaron sus sombreros del perchero, sacaron sus respectivos bastones del paragüero, se inclinaron en silencio y abandonaron la casa.

Con una desconfianza que nada justificaba, como hubo de demostrarse luego, el señor Samsa y las dos mujeres salieron al rellano y, de bruces sobre la barandilla, miraron cómo aquellos tres señores lenta, pero ininterrumpidamente, descendían la larga escalera, desapareciendo al llegar a la vuelta que ésta daba en cada piso, y reaparecían segundos después.

A medida que iban bajando, decrecía el interés que hacia ellos sentía la familia Samsa y, al cruzarse con ellos el repartidor de una carnicería, que sostenía orgullosamente su cesto en la cabeza, el señor Samsa y las mujeres abandonaron la barandilla y, como aliviados de un peso, entraron de nuevo en su casa.

Decidieron dedicar el resto del día al descanso y a pasear: no sólo tenían bien ganada esta tregua en su trabajo, sino que les era indispensable. Se sentaron a la mesa y escribieron tres cartas disculpándose; el señor Samsa a su jefe, la señora Samsa al dueño de la tienda, y la hermana a su principal. Cuando estaban ocupados en estos quehaceres, entró la sirvienta a decir que se iba, pues ya había terminado su trabajo de la mañana. Los tres siguieron escribiendo sin prestarle atención, contentándose con hacer un signo afirmativo con la cabeza. Pero, al ver que ella no acababa de marcharse, alzaron la vista con ira.

—¿Qué pasa? —preguntó el señor Samsa.

La asistenta permanecía sonriente en el umbral, como si tuviese que comunicar a la familia una felicísima nueva, pero indicando con su actitud que sólo lo haría después de haber sido convenientemente interrogada. La plumita plantada derecha en su sombrero, y que le molestaba al señor Samsa desde el momento en que había entrado aquella mujer a su servicio, se bamboleaba en todas direcciones.

—Bueno, vamos a ver, ¿qué pasa? —preguntó la señora Samsa, que era la persona a quién más respetaba la sirvienta.

—Pues —contestó ésta, y la risa no la dejaba seguir—, pues que no tienen ustedes ya que preocuparse respecto a como van a quitarse de en medio el trasto ése de ahí al lado. Ya está todo arreglado.

La señora Samsa y Greta se inclinaron otra vez sobre sus cartas, como para seguir escribiendo; y el señor Samsa, advirtiendo que la sirvienta se disponía a contarlo todo minuciosamente, la detuvo, extendiendo con energía la mano hacia ella.

La mujer, viendo que no le permitían contar lo que tenía preparado, recordó que estaba apurada.

—¡Queden con Dios! —dijo, visiblemente ofendida.

Dio media vuelta con irritación y abandonó la casa dando un terrible portazo.

—Esta noche la despido —dijo el señor Samsa.

Pero no recibió respuesta, ni de su mujer ni de su hija, pues la asistenta parecía haber vuelto a turbar aquella paz que acababan de reconquistar.

La madre y la hija se levantaron y fueron hacia la ventana, ante la cual permanecieron abrazadas. El señor Samsa hizo girar su sillón en aquella dirección, y estuvo observándolas un momento tranquilamente. Luego dijo:

—Bueno, venid ya. Olvidad de una vez las cosas pasadas. Tened también un poco de consideración hacia mí.

Las dos mujeres le obedecieron al instante, corrieron hacia él, le acariciaron, y terminaron sus cartas.

Luego salieron los tres juntos, lo que no ocurría desde hacía meses, y tomaron el tranvía para ir a respirar el aire libre de las afueras. El tranvía, en el cual eran los únicos viajeros, se hallaba inundado de la luz cálida del sol. Cómodamente recostados en sus asientos, fueron cambiando impresiones acerca del porvenir, y vieron que, bien pensadas las cosas, éste no se presentaba con tonos oscuros, pues sus tres colocaciones —sobre las cuales no se habían todavía interrogado claramente unos a otros— eran muy buenas y, sobre todo, permitían abrigar para más adelante grandes esperanzas.

Lo que por ahora mejoraría la situación sería cambiar de casa. Deseaban una más pequeña y barata, y sobre todo, mejor situada y más práctica que la actual, que había sido elegida por Gregorio.

Y, mientras departían así, el señor y la señora Samsa cayeron en la cuenta de que su hija, que pese a todos los cuidados, perdiera el color en los últimos tiempos, se había desarrollado y convertido en una bella señorita llena de vida. Sin necesidad de hablar, entendiéndose con las miradas, se dijeron uno al otro que ya era tiempo de encontrarle un buen marido.

Y cuando, al llegar al fin del viaje, la hija se levantó y estiró sus formas juveniles, pareció como si confirmase con ello los nuevos proyectos y las sanas intenciones de los padres.

ÍNDICE

·FONTANA·

CLÁSICOS DE LA LITERATURA UNIVERSAL

Más de 270 títulos

M. DE CERVANTES	W. SHAKESPEARE	F. DOSTOIEVSKI
LOPE DE VEGA	FRANZ KAFKA	JANE AUSTEN
RUBÉN DARÍO	OSCAR WILDE	CHARLES DICKENS
G. A. BÉCQUER	EDGAR ALLAN POE	F. S. FITZGERALD
M. DE UNAMUNO	H. P. LOVECRAFT	MARK TWAIN
F. DE QUEVEDO	BRAM STOKER	LEWIS CARROLL
F. GARCÍA LORCA	MARY SHELLEY	SUN TZU
BLASCO IBÁÑEZ	HENRY JAMES	F. NIETZSCHE
B. PÉREZ GALDÓS	H. G. WELLS	PLATÓN
R. VALLE-INCLÁN	A. CONAN DOYLE	ARISTÓTELES
C. DE LA BARCA	R. L. STEVENSON	SIGMUND FREUD
JOSÉ ZORRILLA	JULIO VERNE	ALBERT EINSTEIN
SÉNECA	W. IRVING	...

Franz Kafka

OBRAS EN ESTA COLECCIÓN:

Cuentos fantásticos
La metamorfosis
El proceso
El castillo
América
La Muralla China
Carta al padre
Consideraciones acerca del pecado